SONHO MANIFESTO

SIDARTA RIBEIRO

SONHO MANIFESTO

Dez exercícios urgentes
de otimismo apocalíptico

COMPANHIA DAS LETRAS

Copyright © 2022 by Sidarta Tollendal Gomes Ribeiro

Grafia atualizada segundo o Acordo Ortográfico da Língua Portuguesa de 1990, que entrou em vigor no Brasil em 2009.

Capa e projeto gráfico
Alceu Chiesorin Nunes

Preparação
Julia Passos

Checagem
Érico Melo

Revisão
Jane Pessoa
Natália Mori Marques

Dados Internacionais de Catalogação na Publicação (CIP)
(Câmara Brasileira do Livro, SP, Brasil)

Ribeiro, Sidarta
  Sonho manifesto : Dez exercícios urgentes de otimismo apocalíptico / Sidarta Ribeiro. — 1ª ed. — São Paulo : Companhia das Letras, 2022.

  ISBN 978-65-5921-213-2

  1. Antropologia 2. Humanidade 3. Pandemia 4. Sociologia I. Título.

22-102285   CDD-301

Índice para catálogo sistemático:
1. Antropologia : Sociologia   301

Maria Alice Ferreira – Bibliotecária – CRB-8/7964

5ª reimpressão

Todos os direitos desta edição reservados à
EDITORA SCHWARCZ S.A.
Rua Bandeira Paulista, 702, cj. 32
04532-002 — São Paulo — SP
Telefone: (11) 3707-3500
www.companhiadasletras.com.br
www.blogdacompanhia.com.br
facebook.com/companhiadasletras
instagram.com/companhiadasletras
twitter.com/cialetras

SUMÁRIO

1. PERCEBER A OPORTUNIDADE DE MUDAR 7
2. COMPREENDER A URGÊNCIA DO MOMENTO 23
3. CURAR NOSSA PIOR ANCESTRALIDADE.. 37
4. HONRAR NOSSA MELHOR ANCESTRALIDADE 51
5. ASSUMIR NOSSO LUGAR NO UNIVERSO.. 65
6. SONHAR O FUTURO DA VIDA 89
7. BUSCAR A PLENITUDE DA MENTE INCORPORADA 105
8. CONSTRUIR O CAMINHO 125
9. APRENDER A APRENDER 137
10. SAIR DO LABIRINTO 161

AGRADECIMENTOS 177
NOTAS 185

1. PERCEBER A OPORTUNIDADE DE MUDAR

Reza a mais antiga tradição budista da Índia que um jovem brilhante de origem bramânica, perturbado pelas manipulações malignas de seu mestre, foi convencido a colecionar os dedos de mil pessoas diferentes e passou a viver na selva como um assassino sanguinário. Conhecido por usar em torno do pescoço um colar feito com as falanges de suas vítimas, respondia pela alcunha de Angulimala, que significa "guirlanda de dedos" na língua pali.

Com o tempo, a fama do assassino cresceu e gerou pânico na população. Após o esvaziamento de vilas inteiras, o rei daquela região determinou a captura e a execução de Angulimala. A sentença fez sua mãe procurá-lo na floresta para alertá-lo sobre o grande perigo que corria. Ao se inteirar da situação, o Buda, que passava ali por perto, resolveu encontrá-lo também, para evitar o crime horroroso.

Enquanto a mãe buscava em vão na selva, o filho fugia dos soldados do rei. Àquela altura, Angulimala já havia matado 999 pessoas e estava muito ansioso para completar sua missão. Após dias de perseguição, faminto, insone e exausto, resolveu matar o próximo que avistasse, não importava quem fosse. Ao fazer a milésima vítima, o renegado cortaria o último dedo para a guirlanda brutal que havia prometido completar.

Foi então que Angulimala, escondido entre as árvores no topo de uma montanha, avistou um vulto feminino que passava ali perto. À distância, o assassino não distinguiu a própria mãe e apressou-se para atacá-la. Entretanto, quando chegou bem perto, ele a reconheceu e hesitou.

No mesmo momento surgiu o Buda. Angulimala imediatamente decidiu fazer dele a sua última vítima, poupando a mãe. Sacou o punhal e investiu contra o Buda, mas este continuou a se mover, e Angulimala, por mais que se esforçasse, não conseguia alcançá-lo. Ao perceber que não o apanharia, gritou: "Pare!".

O Buda retrucou: "Eu parei, foi você quem não parou". Angulimala ficou confuso com essa resposta, e o Buda explicou: "Digo que parei porque desisti de matar qualquer ser vivo e medito para nutrir o amor e a paciência. Você, entretanto, não desistiu de matar seres vivos e não cultiva nem amor, nem paciência. Você é, portanto, aquele que não parou. Por que faz tantas coisas irreversíveis?".

E então, naquele exato instante, ao escutar as palavras sábias do Buda, Angulimala se iluminou. Nada do que havia vivido até ali fazia qualquer sentido. Ajoelhou-se, tirou do pescoço o colar de dedos, depôs as armas e pediu humildemente ao Buda que o tomasse por discípulo. Defendido pelo próprio Buda, o homem que já não queria ser Angulimala foi perdoado pelo rei e passou a viver em harmonia e paz, dedicando-se a meditar e a servir aos mais necessitados.

Muitas pessoas, entretanto, questionaram o Buda sobre as chances de aquela mudança ser real. Como uma pessoa tão violenta, egoísta e impulsiva poderia de fato ter aprendido a acalmar a mente e espalhar o bem? Depois de todos os crimes cometidos, como aquele homem atormentado alcançaria a felicidade e a bondade genuínas? A esses céticos o Buda respondia: "Ele fez tantas maldades porque sua mente estava ferida e sofria de dor e raiva. Mas depois aprendeu a ouvir boas palavras, aprendeu a meditar e curou a própria mente".

O mito do encontro entre o Buda e Angulimala serve de inspiração para todas as pessoas opressivas deste planeta, não importa a qual posição social pertençam. É sempre possível e desejável deixar de cometer maldades irreversíveis. Cabe ao forte cuidar do fraco, e não destruí-lo. Ao perceber a irreversibilidade de seu ato odioso e fútil, o predador sempre pode se iluminar.

Mas o mito desse encontro também serve de inspiração para todas as pessoas oprimidas deste planeta.

Às pessoas vulneráveis de todas as classes, raças, cores, gêneros, religiões, orientações sexuais, nacionalidades, idades, portes ou condições de saúde, cabe tomar consciência de que precisam deixar de ser predadas, de que precisam se mover para não ter seus dedos arrancados enquanto trilham seu próprio caminho em busca da iluminação.

O vírus que colocou todo o planeta de joelhos nos obriga a reconhecer o estado de sofrimento crescente em que já vivíamos antes mesmo do início da pandemia. Nossas agruras sanitárias foram precedidas e vêm sendo acompanhadas de muita intolerância, violência, angústia e mentiras. Notícias falsas se espalham na internet muito mais do que notícias verdadeiras,[1] e a polarização política nunca foi tão intensa. Nessa Babel pós-moderna, em meio às luzes cada vez mais brilhantes do novo milênio e apesar de todo o impressionante avanço da ciência e da multiplicação dos mais diversos tipos de templos e igrejas que prometem felicidade, paz e harmonia, nós, imersos em 1,4 bilhão de carros e em 3 bilhões de smartphones, sofremos dores terríveis no corpo e na mente.

A Organização das Nações Unidas para a Alimentação e a Agricultura (FAO, na sigla em inglês) estima que existam hoje entre 720 milhões e 811 milhões de pessoas com fome,[2] das aldeias yanomamis às cidades do Líbano. Nos Estados Unidos, entre 1999 e 2017, a taxa de suicídio aumentou 33%.[3] Em todo o mundo, cerca de 800 mil pessoas cometem suicídio todos os anos — o dobro do número de homicídios.[4] O sofrimento cresce e parece que vai explodir.

Na Amazônia, um respeitado cacique do povo wajãpi é encontrado esfaqueado num rio perto de sua casa, com os olhos perfurados e o pênis decepado. Nos Estados Unidos, empresas oferecem viagens turísticas ao espaço. Em Tóquio, uma programadora coreana, que apesar dos três empregos mal consegue pagar as contas, tenta novamente o suicídio.[5] No Rio de Janeiro, uma combativa vereadora anticapitalista, antirracista e lésbica é executada com seu motorista, ambos metralhados por ex-policiais ligados ao atual presidente da República. Na Califórnia, uma faxineira mexicana que limpa banheiros seis dias por semana apanha do marido bêbado no sábado à noite. Na Ucrânia oriental, mãe e pai choram a morte do filho de dezoito meses durante um bombardeio russo. Nas Bahamas, suicida-se uma bilionária austríaca de 102 anos que desistiu da última cirurgia plástica e gemeu de medo até o fim. A única herdeira dela, em Paris, exagera na dose de vários remédios tarja preta e se afoga no próprio vômito. Em Alter do Chão, no Pará, morre de covid-19 uma matriarca indígena que ensinava canções, histórias e ervas de seus ancestrais. Numa prisão de segurança máxima perto de Moscou, após sobreviver a um envenenamento, um opositor do regime russo é forçado a assistir a oito horas diárias de propaganda estatal. Em Moçambique, uma transexual do Zimbábue está apavorada com os massacres e estupros dos milicianos que vêm do Norte. Num hospital privado em Raipur, na Índia, morre de covid-19 uma líder histórica do partido fundamentalista hindu. Na Polinésia, urra de dor a cozinheira intoxicada por microplásticos e metais pesados acumulados nos peixes que cozinha e come. Num campo de refugiados do Iêmen devastado pela guerra, agoniza e morre de desnutrição uma menina de sete anos. Em São Paulo, um garçom boliviano sofre calado pela gorjeta que não recebeu — ele precisa de 35 reais para inteirar a passagem e visitar a filha brasileira no hospital, intubada com os pulmões tomados por vírus após um tratamento ineficaz com vermífugos.

Algumas dessas histórias são reais e outras são imaginárias, mas é quase impossível separar fato e ficção neste momento tão triste da trajetória humana. A imensa dor que sentimos extravasa as fronteiras interpessoais, transborda limites geográficos e invade as experiências de todas as pessoas do planeta, com exceção apenas daquelas incapazes de qualquer empatia.

Entretanto, apesar de enorme, toda essa dor não

chega a ser igualmente distribuída. É evidente que os pobres sofrem mais do que os ricos, que as mulheres sofrem mais do que os homens, que os pretos sofrem mais do que os brancos e que os povos originários sofrem mais do que os povos invasores. Do leste do Sri Lanka ao interior de Angola, dos confins da Austrália às montanhas da Colômbia, sempre foi assim.

A grande novidade é que hoje, com cada vez mais mentes conectadas ao espaço virtual, em que cada indivíduo pode narrar sua própria história, estamos nos dando conta, coletivamente, da universalidade de nossas limitações. Somos ignorantes, sofredores, imperfeitos e fadados ao fim. Finitos macacos agarrados a crenças fugazes, habitantes transitórios da ilusão de ser, ter e poder, crianças eternamente em busca de conforto, atenção e sentido, com ambições difusas de uma realização que não chega nunca porque a neurose coletiva clama por mais sacrifício, sofrimento e dor.

Um exemplo gritante de nossa neurose é o fato de que a pandemia foi prevista com muitos anos de antecedência por epidemiologistas, virologistas e políticos, e mesmo assim não conseguimos evitá-la. Em 2014, o então presidente Barack Obama alertou:

> Pode e provavelmente chegará um momento em que teremos uma doença mortal transmitida pelo ar. E para que possamos lidar com isso de forma eficaz temos de

implementar uma infraestrutura — não apenas aqui em casa, mas globalmente — que nos permita percebê-la, isolá-la e responder a ela com rapidez. E também requer que continuemos o mesmo caminho de pesquisa básica que está sendo feito aqui [nos Estados Unidos]. Assim, se e quando uma nova cepa de gripe, como a gripe espanhola, surgir em cinco anos ou em uma década, teremos feito o investimento e estaremos mais adiantados para sermos capazes de contê-la. É um investimento inteligente a ser feito. Não é apenas seguro; é saber que no futuro continuaremos a ter problemas como esse — em especial num contexto globalizado, em que você vai de um lado do mundo para outro em um só dia.[6]

Obama não chegou a dizer nesse discurso que poderíamos ter evitado a tragédia se invadíssemos menos o ambiente natural e viajássemos menos de avião, coisas que ajudariam a impedir a disseminação do vírus entre humanos. Mas Obama advertiu de maneira explícita para a necessidade de se investir em ciência com o objetivo de detectar e conter o patógeno, impedindo que a então provável epidemia se tornasse o que afinal sobreveio: a pandemia.

A despeito da ampla oportunidade de preparação para a crise, o Partido Republicano, contrário a Obama, bloqueou os recursos para fazer o investimento científico global que o então presidente propunha fazer. Para piorar, a epidemia eclodiu quando países muito populosos, como Índia, Estados Unidos e Brasil, já eram governados por líderes negacionistas. O resultado da patética resposta global ao SARS-CoV-2 foi e continua sendo esta retumbante calamidade sanitária. Apenas no Brasil, a negligência deliberada das autoridades federais e o desvio de recursos públicos em detrimento da vacinação e em prol de propinas e tratamentos ineficazes levaram à morte excessiva de cerca de 305 mil pessoas além do esperado até dezembro de 2021, segundo estimativa do Comitê de Oxford para Alívio da Fome (Oxfam).[7] Na hora H, faltaram oxigênio, sedativos para intubação, respiradores, leitos e vacinas.

Nada é tão ruim que não possa piorar. São inúmeros os exemplos de nosso desamparo cíclico, que cria mais dor quando se tenta escapar dela da maneira errada. Na Índia, a falta de oxigênio nos hospitais levou a milhares de mortes em poucas semanas. Nesse período, houve uma explosão de buscas na internet por métodos caseiros de fabricação do gás, com grande risco de explosões e de produção de gases tóxicos.

Enquanto tudo isso estava acontecendo, as pessoas mais prósperas do mundo continuaram suas vidas, sem assumir a responsabilidade de financiar a vacinação rápida, homogênea e eficaz de toda a população da Terra. Com honrosas exceções, agiram e seguem agindo como se o problema não dissesse respeito a elas.

Neste momento, é impossível saber se estamos no início do fim da pandemia ou ainda no fim de seu início. Segundo o matemático e epidemiologista Adam Kucharski, podemos chegar a ter "mais mortes depois de a vacina ser inventada do que antes".[8] A distribuição lenta e desigual de doses entre os diferentes países, entre as regiões de cada país e entre distintas classes sociais, etnias e grupos ideológicos[9] continua a permitir o surgimento de novas variantes do SARS-CoV-2, o que vai prolongando a pandemia indefinidamente.

Por tudo isso, é incrível e desesperador saber que, sem saírem de seus iates majestosos nem renunciarem ao caviar norueguês cotidiano, as dez pessoas mais ricas do mundo poderiam com facilidade, após alguns telefonemas de poucas palavras, ter contido o contágio em todo o globo, evitando a mortandade e o surgimento de variantes mais transmissíveis e letais. Mas ainda não o fizeram e provavelmente não o farão. Faltam a eles visão, decisão, vigor ou amor. Na verdade, esses dez bilionários dobraram sua riqueza material durante os primeiros dois anos da pandemia, enquanto a renda de 99% da humanidade caiu. "Se esses dez homens perdessem 99,999% de sua riqueza amanhã, ainda seriam mais ricos do que 99% de todas as pessoas deste planeta", disse a diretora executiva da Oxfam Internacional, Gabriela Bucher. "Eles agora têm seis vezes mais riqueza do que os 3,1 bilhões de pessoas mais pobres."[10] Suas prioridades não estão focadas no planeta habitado pelos outros humanos, mas na acumulação sem fim. Esses bilionários, todos homens, vivem no mundo da lua.

Em 16 de novembro de 2020, poucas semanas antes do início da vacinação, foi lançada a primeira espaçonave comercial, da empresa SpaceX, fundada pelo maior bilionário do planeta, Elon Musk.[11] Em julho de 2021, com menos de 30% da população mundial vacinada, os também bilionários Richard Branson e Jeff Bezos[12] travaram uma corrida espacial particular e viajaram ao espaço com dias de diferença, anunciando voos turísticos privados a 50 milhões de dólares por assento.

Se um único turista espacial reconsiderasse as suas prioridades, ele poderia financiar vários milhões de doses de vacina. Desde o início da pandemia até julho de 2021, aumentou em 20 milhões o número de seres humanos levados a níveis extremos de fome, atingindo um total de 155 milhões de indivíduos. Estima-se que a cada minuto onze pessoas morrem de fome no mundo, uma taxa maior do que a das fatalidades causadas pela covid-19.[13]

Do começo da pandemia, em 2020, até março de 2021, a riqueza dos cerca de 2400 bilionários do mundo disparou de 8 trilhões de dólares para 12,4 trilhões de dólares, um aumento de 54%.[14] Serão monstros? Aos olhos da multidão famélica do planeta, certamente sim. Mas aos seus próprios olhos, julgados por sua própria régua, certamente não. Na mente de cada um desses bilionários, que já foram crianças um dia, também habita uma dor imensa que os impede de mudar o curso e agir.

A dor que sentem é diferente da sofrida pelos outros 7,9 bilhões de pessoas, porque dinheiro em excesso é uma das coisas mais tóxicas que existem. A dependência da acumulação de dinheiro, objetos e experiências leva a uma epidemia consumista que devora o ambiente e devasta a mente. Na língua inglesa, o termo "affluenza" designa uma combinação de riqueza (*affluence*) e gripe (*influenza*), definida como uma "condição dolorosa, contagiosa e socialmente transmitida de sobrecarga, dívida, ansiedade e desperdício, resultante da busca obstinada por mais".[15] Vivemos uma pandemia de *affluenza* que espalha sofrimento generalizado.

Segundo o escritor russo Liev Tolstói, "todas as famílias felizes se parecem, cada família infeliz é infeliz à sua maneira".[16] E como podem ser infelizes as famílias materialmente ricas. Vários estudos mostram que a riqueza material conflita com a empatia e a compaixão. Pesquisas comparando pessoas materialmente pobres e ricas mostram que as primeiras fazem uma leitura melhor de expressões faciais alheias, um marcador importante de empatia.[17] Não por acaso, as pessoas pobres do ponto de vista material dependem muito mais umas das outras para sobreviver do que as materialmente ricas.[18] Essa falta de empatia tem efeitos notáveis no trânsito. Uma pesquisa comparando motoristas de carros de luxo aos de carros populares mostrou que a probabilidade de parar e permitir aos pedestres o direito de passagem era quatro vezes menor no caso dos primeiros. Eles também eram mais propensos a cortar outros motoristas,[19] denotando um comportamento agressivo e arrogante.

O dinheiro é tão tóxico que pessoas expostas a palavras relacionadas a ele se tornam mais propensas a mentir ou a se comportar de forma imoral.[20] Segundo a psicóloga estadunidense Kristin Smith-Crowe, pessoas "meramente expostas ao conceito de dinheiro eram mais propensas a demonstrar intenções, decisões e comportamentos antiéticos do que participantes no grupo de controle".[21] O dinheiro é uma droga pesada.

Além de atrapalhar o julgamento moral, o acúmulo material favorece dependências.[22] O dinheiro é muito viciante por si só e facilita o uso problemático de substâncias.[23] Crianças ricas do ponto de vista material são mais vulneráveis a problemas de abuso de substâncias do que as de classe média ou pobres, e adultos materialmente ricos bebem mais álcool do que os pobres.[24] Uma das causas desse desequilíbrio parece ser a solidão.

Qualquer sofrimento é bastante individual, e o que sofre cada bilionário do planeta é algo que só ele ou ela sabe. A frustração específica de não ser, não poder e não ter o que algum outro ser humano tem é exclusiva, única e particular. Resguardadas as honrosas exceções, essas pessoas costumam ser obcecadas por comparações. Sua colossal falta de empatia com os mais vulneráveis é um sintoma claro de doença. Esperneiam para não envelhecer, negam e renegam sua semelhança com a maioria, se agarram até o último momento à mentira de que são superiores e praticam o egoísmo até o desfecho melancólico do ego.

Muito mais do que os materialmente pobres, a maior parte dos endinheirados compete de maneira violenta entre si, tanto em termos reais quanto simbólicos: se envolvem em corrupções, engendram golpes traiçoeiros e realizam ataques-surpresa para tomar o poder uns dos outros. Desconfiam de quase todos, pilham-se mutuamente e encerram parcerias com ódio mortal e promessas de vingança. Mas, apesar de toda a neurose da competição desmedida entre seus pares, os poderosos pilham a valer, sobretudo e de preferência, os mais vulneráveis em termos econômicos, as mulheres e todos aqueles considerados inferiores — quase sempre os de pele mais escura. É triste reconhecer que, na maior parte do mundo, continua sobressaindo uma constatação feita pelo ex-presidente Luiz Inácio Lula da Silva: "Ladrão pobre vai preso e ladrão rico vira ministro".

Como chegamos a esse estado de coisas? Segundo a narrativa científica atualmente prevalente, entre 70 mil e 100 mil anos atrás, um grupo da espécie *Homo sapiens*, estimado em trezentos a mil indivíduos, saiu da África[25] e fundou a linhagem que veio a conquistar todo o planeta. Muitos outros grupos de humanos saíram da África antes e depois disso, mas esse grupo em particular teve enorme sucesso, gerando uma genealogia versátil e duradoura.[26] Uma estirpe violenta, em que os mais fortes frequentemente humilham, oprimem e devoram os mais fracos,[27] mas também carinhosa, capaz de muito altruísmo e extremados cuidados parentais.[28] A enorme capacidade humana de proteger os "de dentro" e combater os "de fora"[29] fez de nós uma espécie híbrida de amor e horror.

Discriminar as pessoas da raça tal ou de hábitos e costumes diferentes é um comportamento muito antigo. Nossa caminhada evolutiva se fez no atrito recorrente entre presas e predadores. Nas múltiplas culturas humanas, de aparências tão diversas, invariavelmente prevalece o embate entre presas desesperadas de medo e predadores salivando de cobiça, inveja, ciúme, ira, gula e morte.

Herdeiros dessa contradição perigosa, vemos o

horror crescer num frenesi de acumulação e competição — e já quase não há lugar para o amor. Por isso sofremos tanto e sentimos que temos pouco tempo. A redescoberta pandêmica do medo de morrer é uma oportunidade preciosa, talvez a última, para despertarmos da armadilha evolutiva em que estamos metidos. Mantido o rumo atual, o futuro é impossível e os sonhos estão mortos. Por isso mesmo há que ressuscitá-los.

Precisamos reaprender a sonhar.

2. COMPREENDER A URGÊNCIA DO MOMENTO

Paraíso e inferno já existem na Terra há milênios, mas nunca foi tão iminente o desaparecimento completo de um deles. Desde que o mundo é mundo, dor e prazer se alternam sem parar na experiência individual de cada ser vivo, criando e recriando a cada instante um jogo em que a soma total de prazer e dor tende a zero, pois perdedores e ganhadores se alternam. Para cada indivíduo, separadamente, a vida se configura quase sempre como breves lapsos de paraíso e inferno, entremeados de longos períodos de purgatório.

Na teia de relações animais, apenas os predadores no topo da cadeia alimentar experimentam momentos não dolorosos durante a maior parte do tempo de vida. Onças levam uma vida muito menos estressante do que capivaras, mas ainda assim passam grande parte da vida sofrendo com a fome, a sede e a ação de parasitas. Em toda a natureza, prazer e sofrimento caminham entrelaçados. Fomos nós, nossa linhagem de primatas superinteligentes, que alteramos esse equilíbrio dinâmico de soma zero e criamos um enorme desequilíbrio: enquanto uma fração muito pequena da população humana — os materialmente ricos — experimenta condições que permitem evitar ao máximo certos tipos de dor, a maioria das pessoas e dos outros animais experimenta estresse e dor por toda a vida, com morte cruel e precoce.

A grande novidade é estarmos, neste momento específico da evolução da vida na Terra, muito perto de alterar de forma radical essa equação. Se soubermos agir com sabedoria e técnica impecáveis, poderemos diminuir pouco a pouco o sofrimento humano e não humano no mundo, criando um paraíso digno de ser exportado para outros planetas. Mas se mantivermos nossa marcha insensata, o contrário inevitavelmente acontecerá: a soma total de sofrimento humano e não humano aumentará cada vez mais.

O relatório mais recente do Painel Intergovernamental sobre Mudanças Climáticas (IPCC), da Organização das Nações Unidas (ONU), prevê um aquecimento médio global de 1,5°C até 2040.[1] Os efeitos desse aquecimento já se fazem sentir nos incêndios que vêm devastando regiões tão distantes entre si quanto a Sibéria, a Califórnia e a ilha grega de Eubeia. Na Amazônia e no Pantanal, a grilagem de terras, que atua por meio de queimadas intencionais e derrubada de árvores com tratores e correntes, hoje conta com a anuência do governo brasileiro, transformando a prática em política pública de destruição de biomas. Estima-se que em 2020 o país tenha perdido 158 hectares de floresta por hora.[2] Pela primeira vez desde que as medições começaram a ser feitas, a Amazônia emitiu mais carbono do que é capaz de absorver.[3] Estamos muito próximos do ponto de não retorno, a partir do qual a aridificação será inexorável.[4]

O livre curso de nossos instintos violentos aponta para a asfixia da vida na Terra. A asfixia carbônica das oscilações climáticas cada vez mais extremas. A asfixia das chamas da Floresta Amazônica, que está cada vez mais perto do fim. A asfixia oceânica das águas cada vez mais paradas, desoxigenadas, quentes, cheias de plástico[5] e exauridas de peixes. A asfixia policial do homem negro esmagado pelo joelho do homem branco uniformizado. A desesperante asfixia hospitalar na Índia, no Brasil, nos Estados Unidos e em diversos países africanos.[6]

O gigantesco desastre da covid-19, fora de controle e com um final ainda mais que incerto, é a expressão mais gritante de como tornamos irrespirável a atmosfera em nosso planeta. Não nos enganemos, a insegurança é o novo normal. Se mantivermos o atual rumo econômico, desprovido de qualquer cuidado com a maior parte das pessoas, focado na acumulação predatória de riquezas, na exploração dos fracos pelos fortes e na destruição acelerada de todos os biomas, muitas outras pandemias semelhantes nos aguardam. Nossa relação de predação e depredação da natureza favorece que vírus e outros microrganismos causadores de doenças sejam transmitidos de animais silvestres para pessoas, fazendo emergir novas enfermidades para as quais ainda não temos nem imunidade, nem vacina.

A vacinação deficiente em países do terceiro mundo é uma tragédia em curso. Nas palavras dos escritores Mia Couto e José Eduardo Agualusa, respectivamente naturais de Moçambique e Angola,

> Mais uma vez, a ciência ficou refém da política. Uma vez mais, o medo toldou a razão. Uma vez mais, o egoísmo prevaleceu. A falta de solidariedade já estava presente (e aceite com naturalidade) na chocante desigualdade na distribuição das vacinas. Enquanto a Europa discute a quarta e quinta doses, a grande maioria dos africanos não [se] beneficiou de uma simples dose. Países africanos, como Botswana, que pagaram pelas vacinas, verificaram, com espanto, que essas vacinas foram desviadas para as nações mais ricas.[7]

Em setembro de 2021, na Assembleia Geral das Nações Unidas, a primeira-ministra de Barbados, Mia Amor Mottley, chamou os líderes mundiais à responsabilidade usando palavras da canção "Get up, Stand up", de Bob Marley:

> Quantas mais variantes de covid-19 devem chegar, quantas mais, antes que um plano de ação mundial de vacinação seja implementado? Quantas mortes mais devem ocorrer antes que 1,7 bilhão de vacinas em excesso na posse dos países avançados do mundo sejam compartilhadas com aqueles que simplesmente não têm acesso a vacinas? [...] Quem se levantará e defenderá os direitos do nosso povo?[8]

As perguntas de Mottley ecoam sem resposta. Como convencer os mais fortes de que ajudar os mais fracos também os beneficia? Como convencer os predadores a cuidarem das presas? Diálogos sobre esse dilema devem ter sido frequentes entre o final do Paleolítico e o início do Neolítico, quando nossos ancestrais desenvolveram o convívio doméstico com predadores e com presas que deram origem a cães, gatos, bovinos, equinos, ovinos, caprinos e outros bichos. O convívio de diferentes exige cuidado redobrado.[9]

No mundo há cerca de 700 milhões de pessoas abaixo da linha de pobreza extrema, isto é, vivendo com menos de dez reais por dia.[10] Não por coincidência, existem cerca de 800 milhões de pessoas analfabetas. A desigualdade entre ricos e pobres vem aumentando cada vez mais rápido nas últimas décadas, gerando assimetrias sempre maiores de acesso a bens materiais e imateriais.[11]

Se hoje a compaixão dos materialmente ricos pelos materialmente pobres é pequena, imagine como será quando forem espécies diferentes. Não duvide dessa possibilidade. Há milênios, é mínima a troca cultural entre os materialmente ricos e os materialmente pobres — e a troca genética é quase nula. Estão dadas, portanto, as condições para a separação gradativa dessas linhagens de *Homo sapiens*, com a evolução de espécies distintas marcadas pelo contraste entre a privação e a opulência quase absolutas.

Novas espécies podem surgir de forma lenta ou rápida, às vezes após um número bem pequeno de gerações. A evolução viral é tão rápida que pode tornar a produção e a aplicação de vacinas eficazes um esforço anual de pesquisa e promoção da saúde pública, um interminável "trabalho de Sísifo" legado às gerações vindouras. Fortes pressões causadas pela seleção positiva ou negativa de genes podem acelerar a evolução, como é evidente na explosão de variedades, cepas e raças — seja de maçã, cachorro ou maconha.[12] Um exemplo de evolução humana bastante rápida ocorreu no Tibete a partir do final do Paleolítico, com a disseminação de variantes genéticas relacionadas ao aumento da oxigenação sanguínea, uma adaptação às altitudes extremas.[13]

Não é preciso ir muito longe na simulação de futuros possíveis para compreender que os bilionários podem originar uma espécie de humanos ciborgues extremamente longevos, um misto de engenharia genética e robótica, enquanto os miseráveis do planeta podem resultar em outra espécie de ser humano, desnutrida, degradada e atrofiada em sua natureza biológica e cultural, condenada a viver das migalhas cada vez mais escassas que escapam das entranhas do sistema capitalista predatório. Esse pesadelo ecoa a ficção de H. G. Wells, que em seu livro A *máquina do tempo*, escrito há mais de 120 anos, imaginou Morlocks e Elois como resultado da especiação humana a partir de classes sociais distintas.

A sensação de que o fim do mundo se aproxima é nossa velha conhecida. Inúmeras vezes ao longo de nossa história e pré-história atravessamos períodos de enorme incerteza quanto a nossas possibilidades de sobrevivência. Pestes, guerras e cataclismos foram nossos mais fiéis companheiros de jornada, como atesta a memória do dilúvio entre povos tão diferentes quanto hindus, sumérios e maias. Diversas vezes, mulheres e homens de imaginação realizaram previsões catastróficas sobre o nosso destino — e o fim do mundo foi agendado e reagendado numa fieira interminável de medos coletivos de aniquilação.

Foi assim na Mesopotâmia durante a Idade do Bronze, na Europa medieval na iminência do ano 1000, com o medo do holocausto nuclear depois dos genocídios de Hiroshima e Nagasaki — e é assim agora. A novidade da nossa era não é o regresso desse medo atávico do fim de tudo e de todos, mas o fato de que só agora, neste início de século XXI, nossa devastadora ação coletiva ameaça tão gravemente o planeta que chega a colocar em xeque o próprio funcionamento da engrenagem capitalista de transformar seres vivos em dinheiro e corpos mortos.

Para o linguista, filósofo e ativista Noam Chomsky, nossa missão é impedir o avanço da "máquina do fim do mundo" representada por aquecimento global, risco de guerra nuclear e desinformação:[14]

> Não podemos esquecer que estamos em um momento único da história [...], estamos na Terra há algumas centenas de milhares de anos. [Somos] um milagre surpreendente, o resultado de muitos acidentes... pela primeira vez em 4 bilhões de anos na Terra, criaturas que podem refletir sobre os tipos de questões que estamos discutindo [...]. E, apesar disso, aqui estamos nós, neste que poderia ser o momento final da existência

do pensamento na Terra. Enfrentamos a séria perspectiva de extinção da espécie.[15]

A desenfreada ocupação humana do planeta vem causando um aniquilamento massivo de espécies, a sexta grande extinção desde o início da vida. Essa extinção abrange várias famílias de plantas e animais, incluindo mamíferos, aves, répteis, anfíbios, peixes e invertebrados, e acontece ao menos cem vezes mais rápido do que o esperado pelas taxas naturais de extinção.[16] Ao mesmo tempo, a crescente globalização das culturas humanas majoritárias acelera o processo de extinção das minoritárias. Até 2100, estima-se que metade das mais de 7 mil línguas[17] humanas hoje existentes estará extinta.[18] Isso equivale a dizer que as perdas de biodiversidade se somarão a uma colossal perda de saberes.

Considere, por exemplo, o conhecimento indígena sobre plantas e animais de uso medicinal. Povos originários costumam apresentar forte singularidade linguística para designar suas medicinas tradicionais, fazendo com que cada grupo seja único em suas riquezas culturais. Um estudo com indígenas da América do Norte, do noroeste da Amazônia e da Nova Guiné mostrou que mais de 75% de todas as 12 495 possibilidades de manejo de plantas medicinais são conhecidas apenas por um idioma.[19] Os resultados sugerem que a extinção de línguas será tão deletéria para o conhecimento medicinal quanto o próprio colapso da biodiversidade.

Atravessamos uma tempestade perfeita. Mudanças climáticas já praticamente irreversíveis,[20] risco nuclear perene, extinção massiva de espécies e culturas, epidemia de mentiras na internet, microplastificação do ambiente, falta de água, ausência de saneamento e educação pública depauperada. Nunca estivemos tão próximos de cumprir as piores profecias sobre nós mesmos. Só o que pode nos salvar é a percepção aguda da urgência deste momento — e a decisão de mudar. Mais do que nunca, precisamos da indignação e do senso de urgência das pessoas mais jovens, que ainda não se entorpeceram por completo como a maior parte dos adultos.

Na Cúpula de Ação Climática da ONU em 2019, a ativista climática sueca Greta Thunberg, então com dezesseis anos, começou assim seu discurso:

> Minha mensagem é que estaremos vigiando vocês. Está tudo errado. Eu não deveria estar aqui. Eu deveria estar de volta à escola do outro lado do oceano. No entanto, todos vocês vêm a nós, jovens, em busca de esperança. Como vocês ousam? Vocês roubaram meus sonhos e minha infância com suas palavras va-

zias. No entanto, sou uma das que têm sorte. As pessoas estão sofrendo.[21]

Estamos presos numa armadilha evolutiva infernal que parece sem saída: se continuarmos no caminho atual de desenvolvimento, viveremos o colapso do ambiente e da saúde. Se desacelerarmos nosso desenvolvimento, a economia colapsará.
Vivemos a era da destruição de qualquer futuro.

Paradoxalmente, entretanto, vivemos também a era da criação de qualquer futuro. Por incrível que pareça, nunca estivemos tão próximos do paraíso. Entre todas as formas de vida que existiram na Terra ao longo dos 4 bilhões de anos de evolução deste incrível experimento da matéria no Universo, apenas as mulheres e os homens do nosso tempo, meros 7,9 bilhões de primatas bípedes, apresentam um projeto de fato viável para aprender a viver de um jeito em que o prazer prevaleça à dor. A maravilhosa boa nova é a prosaica viabilidade técnica do bem-estar geral. Desde os anos 1960, o mundo passou a produzir comida suficiente para alimentar todas as bocas.[22] A eliminação da fome, um imperativo ético até então utópico, passou a estar ao alcance da sabedoria humana.

Entretanto, infelizmente o fim da fome ainda

não aconteceu. A revolução agrícola baseada em latifúndio, monocultura, fertilizantes, pesticidas e mecanização não entregou o que prometeu. O excedente de comida teima em não chegar à multidão de famintos, e enquanto isso o capital vai se concentrando, os agricultores vão sendo substituídos por máquinas, o solo vai se arruinando e a produção em massa de alimentos ultraprocessados vai perdendo em nutrientes o que ganha em agrotóxicos, antibióticos, hormônios, conservantes, estabilizantes e outros aditivos. Essa galopante miséria alimentar se apresenta sob inúmeras formas, desde fome e desnutrição até depressão, obesidade, diabetes, doenças cardiovasculares e talvez até mesmo o autismo.[23] Para piorar, a produção desenfreada de plásticos a partir do século XIX acabou por contaminar todos os hábitats planetários, da mais alta montanha até as profundezas do mar. A ingestão e a respiração de micropartículas de plástico são uma ameaça toxicológica soturna.[24]

Será preciso muita sabedoria coletiva para retomar o sonho do bem comum e construir de forma adequada o futuro da espécie. Poderíamos ter escapado do desastre da covid-19 se tivéssemos agido com sabedoria coletiva. Se tivéssemos, em 2019 e 2020, usado o melhor de nosso saber biomédico, com vacinação rápida, homogênea e global, provavelmente não teríamos deixado que as variantes virais evoluíssem —

e talvez a pandemia já tivesse passado. Se tivéssemos usado o melhor de nosso saber ecológico e xamânico, é possível que o SARS-CoV-2 jamais chegasse a infectar seres humanos. Os negacionistas do desmatamento, das mudanças climáticas e das vacinas ainda podem nos custar a sobrevivência da espécie.

É desse paradoxal momento histórico, de tanta potência destrutiva e construtiva, que trata o livro *Banzeiro òkòtó*, da jornalista e escritora Eliane Brum. Em suas palavras, "banzeiro é como o povo do Xingu chama o território de brabeza do rio. É onde com sorte se pode passar, com azar não. É um lugar de perigo entre o de onde se veio e o aonde se quer chegar. [...] "Òkòtó", palavra na língua ioruba, [...] é um caracol, uma concha cônica que contém uma história ossificada que se move em espiral a partir de uma base de pião".[25] Esse caracol, ligado pela divindade Exu ao início de todas as coisas, é um pião que gira em torno de um único ponto singular e se abre a cada revolução, até alcançar o infinito circular.

A pandemia é um sinal gritante de que precisamos com urgência ajustar nossa conduta. Precisamos superar esse banzeiro e girar nosso *òkòtó* sem deixá-lo cair. Nossas ações e inações nos próximos anos serão determinantes para o porvir planetário. Ao mesmo tempo que voamos rumo ao futuro transportados nas asas enormes de nosso fabuloso tesouro multicultural, precisamos compreender, para o benefício das gerações que nos sucederão, que estamos atolados em péssimas tradições. Ao lado das mais belas joias culturais do passado, herdamos também um enorme estoque de lixo tóxico, neuroses atávicas, poluição mental e miséria comportamental. Só porque algo é antigo não significa que valha a pena ser mantido, pois o tempo tanto pode depurar como apodrecer as coisas. Precisamos de cura.

3. CURAR NOSSA PIOR ANCESTRALIDADE

Em 9 de abril de 2020, aos quinze anos, morreu em Boa Vista, na UTI do Hospital Geral de Roraima, o adolescente yanomami Alvanei Xirixana, após dias de febre e dores por todo o corpo. Assim como de tantos outros jovens indígenas, foi roubada precocemente de Alvanei a chance de trilhar seu caminho. Embora ele tenha sido o primeiro indígena brasileiro a ser oficialmente contabilizado como vítima da covid-19, essa triste distinção na verdade parece caber à cacica Lusia dos Santos Lobato, que morreu aos 87 anos, em 19 de março de 2020. As estatísticas oficiais não a incluem porque a terra em que viveu nunca foi demarcada.

Lusia foi uma liderança matriarcal indígena de grande importância para a criação da Associação Indígena Borari de Alter do Chão, no estado amazônico do Pará, onde exerceu por muitos anos um papel essencial em rituais, danças, culinária, artesanato e contação de histórias na comunidade. Em torno dela se estabeleceu um cacicado exclusivamente feminino que modificou para melhor uma antiga tradição do povo borari. Sua liderança ganhou expressão no início dos anos 2000, quando se espalhou pelo baixo rio Tapajós o movimento de autorreconhecimento de aldeias indígenas que atravessa o continente americano há cinco séculos. Por não se sentirem representadas pelas lideranças masculinas, as mulheres borari criaram o Núcleo de Mulheres Sapú [raiz] Borari, que representa cerca de 180 famílias.

Resistindo aos madeireiros, à especulação fundiária em seus territórios, ao turismo e ao embranquecimento cultural e biológico, esse movimento transformou os modos tradicionais de organização comunal indígena para que seja possível a negociação legítima com o Estado. Durante o longo velório, que atravessou a noite, a passagem da cacica Lusia foi chorada pela comunidade, incluindo seus sete filhos, dezessete netos, catorze bisnetos e um tataraneto. Apesar de toda a importância cultural de Lusia, o Ministério da Saúde não reconheceu que ela havia sido a primeira pessoa indígena morta pela covid-19 no Brasil porque o Estado brasileiro até hoje não reconhece a aldeia borari de Alter do Chão como território indígena.

Até o dia 30 de junho de 2021, 163 povos indígenas diferentes haviam sido infectados pela covid-19, totalizando 56 174 pessoas contaminadas, das quais 1126 morreram. O índice de letalidade entre os indígenas foi quase o dobro do encontrado na população brasileira em geral. Esse fato embasou o pedido da Articulação dos Povos Indígenas do Brasil ao Tribunal Penal Internacional para que o presidente Jair Bolsonaro fosse processado por crimes contra a humanidade e por genocídio,[1] ou seja, por ações e omissões deliberadas com a finalidade de extinguir etnias.

Em todo o planeta, desde os primeiros contatos entre povos originários e invasores, acordos territoriais foram protelados, sabotados e rompidos pelos recém-chegados, sempre em busca de extorquir, pilhar e desapropriar. Aconteceu com os judeus na luta contra as invasões de babilônios e romanos, com os lakotas na luta contra a expansão estadunidense, com os guaranis na luta contra a agressão portuguesa, com os irlandeses e os aborígenes australianos na luta contra a dominação inglesa; e acontece com os yanomamis na luta contra a infestação de garimpeiros brasileiros, com os palestinos na luta contra a ocupação israelense, com os xoklengs na luta contra a invasão agrícola em Santa Catarina, com os uigures na luta contra a opressão chinesa.

Vivemos numa sociedade injusta e desigual em que os mais fortes sistematicamente predam os mais fracos. Isso se revela sem pudores nas guerras, na composição dos parlamentos nacionais, na política tributária, no acesso aos serviços de saúde, nas filas para vacinação e transplante de órgãos, nas admissões de escolas e universidades de alto nível, no preparo da comida, no cuidado das crianças e na higiene do vaso sanitário. À imensa maioria de pessoas pobres cabe trabalhar muito para receber pouco — e aos miseráveis nem isso é concedido, pois o desemprego é crescente em quase todo o planeta. Para a maioria das mulheres, estabelecer relações de igualdade, respeito e amor com homens continua a ser uma utopia. Para os negros nas Américas, para os tchetchenos na Federação Russa e para os párias na Índia, as conquistas só vêm após uma luta renhida. Para as distintas populações indígenas das Américas, o contato com os que cobiçam suas terras continua a ser definido pelas palavras de sempre: invasão, garimpo, extermínio, desnutrição, intoxicação, imunodepressão, epidemia.

Expropriar o território alheio é um comportamento da mais remota ancestralidade. Em inúmeras espécies animais, o instinto de competição por território regula as relações entre indivíduos da mesma espécie. A mesma coisa acontece em inúmeras culturas humanas. Para nossa infelicidade, esse hábito vem de muito tempo atrás. Por todo o nosso passado histórico e durante toda a nossa pré-história, foi comum que algumas pessoas fossem oprimidas por outras, tanto no interior de grupos em que todas eram de algum modo aparentadas quanto entre grupos distintos. O acoplamento entre os comportamentos de opressão e submissão foi e continua sendo essencial para aquilo que denominamos — com ou sem ironia — organização social. Nas palavras do filósofo Fernando Haddad,

> a espécie humana é uma superespécie, do ponto de vista biológico, composta de semiespécies, do ponto de vista cultural. À diferença da biologia, contudo, quando uma semiespécie cultural completa o processo de especiação, produz-se contradição, e não diferença. A especiação cultural não produz uma nova espécie biológica, mas um cisma cultural no seu interior.[2]

Não será nada fácil mudar, já que a inércia desse cisma é assombrosa. Toda a nossa ancestralidade animal evoluiu sob competição feroz e generalizada, dentro e fora da espécie. A predação é sem dúvida uma das mais antigas interações ecológicas na Terra, possivelmente existindo desde o início da evolução da vida. Dos seres unicelulares mais antigos até os jaguares, os tubarões e os seres humanos atuais, matar para se alimentar tem sido um imperativo evolutivo prevalente. O parasitismo também possui raízes muito antigas, mas sua expressão como domesticação e escravização de outros seres vivos é muito mais recente, tendo surgido não mais do que 23 mil anos atrás, quando parece ter começado a domesticação dos cães.

Quando examinados de perto, os hábitats mais belos do planeta, pulsantes de vida e cores como os recifes de corais e as florestas tropicais, se revelam arenas multifacetadas de combate até a morte. Viver é muito perigoso, pois as cadeias alimentares são extremamente complexas e interconectadas. Considere, por exemplo, o polvo, um predador bastante ardiloso e eficaz. Apesar de toda a sua inteligência, é predado sem misericórdia por tubarões e golfinhos. Pouquíssimos animais ocupam sem sobressaltos o topo da cadeia alimentar. Em sua maioria, todos podem ser presas e predadores a cada instante. Esses papéis se alternam com incrível volatilidade, gerando uma dupla perspectiva que atravessa todas as espécies e chega aos seres humanos com muita nitidez: quando se sai para matar, é sempre possível morrer.

A observação atenta do comportamento de nossos parentes mais próximos, os chimpanzés, revela a ocorrência frequente de comportamentos violentos[3] iniciados por machos. Nossos primos vivem em grupos patriarcais dominados pela força, pelo exibicionismo e pela astúcia política do macho dominante, que controla o acesso às fêmeas. É relativamente comum o infanticídio perpetrado por um novo macho dominante quando o antigo é substituído,[4] replicando no meio da floresta tropical subsaariana o enredo shakespeariano de *Ricardo III*, acusado de mandar executar os próprios sobrinhos para conquistar a coroa inglesa.[5]

Entretanto, apesar de tanta desventura, os chimpanzés machos alfas estão longe de ser socialmente desagregadores. Ao contrário, em geral atuam para pacificar o grupo, proteger os mais vulneráveis e consolar indivíduos que foram agredidos ou desprestigiados no bando.[6] Isso é ainda mais evidente no caso das fêmeas alfas, apontando para uma ancestralidade símia em que a ocupação do topo do ranking social exigiu sempre diplomacia e atenção ao bem comum. Em bonobos, também aparentados conosco, prevalecem matriarcados em que cuidados mútuos, sexo e políticas de boa vizinhança atenuam conflitos com eficácia.[7]

Não podemos culpar nossa natureza primata pelos problemas que enfrentamos. Nossa tradição patriarcal é bem mais odiosa, um sistema de instrumentalização de pessoas e de indivíduos de outras espécies — raiz da domesticação e da escravidão. Fazem parte dessa tradição o racismo e a homofobia, que oprimem minorias de variados tamanhos; o machismo, que oprime mais de metade da população mundial; e o classismo, que oprime a quase totalidade das pessoas na Terra. Nossa ancestralidade está intoxicada e doente de patriarcado há milênios — e a situação vem piorando. Se formos seguir fielmente nossas tradições mais sólidas, estamos fritos.

Mas como curar essas doenças patriarcais? A forte dependência masculina da pornografia e da prostituição reflete uma estrutura social em que homens, heterossexuais ou não, oprimem mulheres cis e trans e homens gays. "A mesma grana que compra o sexo mata o amor", canta o rapper Emicida. E assim todos se embrutecem, já desde a adolescência. A repetição frenética da masturbação sob estímulos audiovisuais com pessoas sempre diferentes e em poses sempre iguais fere não apenas a genitália, mas também a percepção sensível do outro, embotando a libido e diminuindo a empatia com pessoas de verdade.

A empatia só pode ser firmada se o indivíduo praticá-la consigo mesmo. A associação de certas partes do corpo a sentimentos como medo, raiva, nojo ou vergonha apenas nos diminui, empobrece, confunde e massacra. Preconceitos, medos e interdições ligados ao corpo não resistem à compreensão de que todas as nossas partes são vitais, pulsam e dão prazer — sobretudo as que possuem maior densidade de células receptoras de toques suaves e carinhosos.

A inconsciência e a incompreensão do próprio corpo alimentam a violência patriarcal. A masculinidade tóxica, abusiva e violenta vem, portanto, da masculinidade frágil, do medo do próprio prazer anal e das taras de dominação e controle que estão na base do sexo bate-estaca, do machismo e do feminicídio. Os vínculos com parceiras e parceiros sexuais serão mais profundos e significativos ao focar menos em objetos exteriores — peitos, bundas, genitálias — e mais em sujeitos interiores — as pessoas que se amam.

O uso que fazemos de palavrões explicita o atraso milenar de concepções ainda tão comuns. Quase todas as nossas "palavras feias" são ligadas ao sexo e, portanto, deveriam ser consideradas lindas: cu, boceta, caralho, porra, veado, filho da puta. Quanto ódio contra as putas! Por que chamamos assim as pessoas mais vis e desprezíveis? Quando alguém da minha família, por qualquer razão, solta um "puta que pariu", logo bradamos em uníssono: "Viva as Putas! Viva as Mães! Viva as Filhas! Viva os Filhos!". O sexo e a maternidade são demonizados como se não tivéssemos todos vindo daí, como se os corpos não fossem templos de infinito prazer, e sim masmorras de infinita dor. É tão comum a hipocrisia antigay que demoniza a homoafetividade, mas a pratica em segredo.

De uma vez por todas, entendamos: jogos de dominância entre duas pessoas só dão prazer a ambos quando seus limites são livremente consentidos e quando existe alternância entre dominante e dominado. E essa questão vai muito além dos relacionamentos sexuais. A dinâmica lúdica humana oscila entre jogos de cooperação e de dominância. Nos jogos cooperativos, o prazer e o incentivo à excelência são mútuos, mas nos de dominância a assimetria de poder costuma ferir a parte mais fraca. Quaisquer relações em que não haja revezamento de dominância — seja entre pais e filhos, esposa e esposo, irmãos, amigos, colegas de escola ou de trabalho, subordinados e chefes — causarão dor, ressentimento, indiferença e desamor.

A unilateralidade patológica de uma pessoa que sempre está no comando em tudo o que faz, que sempre sabe todas as respostas, que sempre age sem ser questionada — o homem branco, rico e heterossexual, na maioria das vezes — adoece todos com quem interage. Se não corrigirmos esse rumo, nosso futuro não será nada desumano, mas sim humano, demasiada e horripilantemente humano, como o pior de nossas tradições.

O que nos cabe é confrontar as partes doentes de nossa ancestralidade. A inércia é enorme, mas apesar das dificuldades precisamos encarar a necessidade de fazer a curadoria criteriosa de nossas tradições. Nunca, em tempo algum, nossa espécie teve tamanha necessidade de curar sua abjeta herança cultural quanto agora. A persistência transgeracional de comportamentos destrutivos é compreensível, pois somos o resultado de milhões de anos de exclusão, violência e desrespeito a tudo que não é identificado como "eu" ou "nós". O rato-toupeira-pelado é xenófobo[8] e o chimpanzé também é.[9] Se hoje ainda são comuns entre humanos a predação e a opressão, é porque o vale-tudo do forte contra o fraco acontece desde o início da vida na Terra, desde as primeiras células autônomas até as orcas e as águias. Especificamente em nossa linhagem de símios, esse chassi biológico letal foi acrescido da capacidade de conspirar, corromper, emboscar, guerrear, estuprar e torturar. Nossos antepassados praticaram tudo isso incontáveis vezes, no transcurso de incontáveis eras. É desse pesadelo que temos de nos livrar, se quisermos durar.

Invoquemos então o benevolente Baku-youkai, criatura sobrenatural devoradora de pesadelos do folclore japonês, que se apresenta como uma mistura de animais, mesclando, por exemplo, um corpo de urso a olhos de rinoceronte, patas de tigre, tromba de elefante e cauda de boi.[10] Quem é afligido por um pesadelo deve repetir três vezes: "Dou meu sonho para o Baku comer". Mas enquanto o Baku não vem, precisamos compreender o pesadelo que habitamos.

Segundo a tradição hindu, quando o Senhor Krishna deixou a terra há cerca de 5 mil anos, iniciou-se uma era do vício, o Kali Yuga,[11] marcado pelo governo de pessoas desprovidas de espiritualidade, sem respeito pela ancestralidade e sem compromisso com as gerações seguintes. Cada vez mais exigentes de sacrifícios alheios, mas eles mesmos incapazes de fazê-los, esses líderes seriam verdadeiros perigos para o mundo. Durante o Kali Yuga ocorreriam demonstrações abertas de ódio e se degradariam as noções de verdade, tolerância e compaixão. Durante o Kali Yuga, a maior parte das pessoas se consideraria uma divindade e faria disso um negócio. As pessoas perderiam a noção do percurso histórico, se iludiriam com as posses materiais, e a doença e a mentira se entrelaçariam. Qualquer semelhança com os tempos atuais é mera historicidade.

Entretanto, felizmente não há possibilidade de equivalência entre o bem e o mal. Isso é representado de modo exemplar no mito hindu do homem-leão Nrisimhadeva, quarto avatar da divindade Vixnu, que conseguiu destruir o rei demônio Hiraniacaxipu. Reza a lenda que esse ser maléfico, tornado poderoso pela prática dedicada de austeridades e penitências pessoais, pediu à divindade Brahma a seguinte bênção:

> Conceda-me que eu não morra dentro de qualquer residência ou fora de qualquer residência, durante o dia ou a noite, no solo ou no céu. Conceda-me que minha morte não seja provocada por nenhuma arma nem por qualquer ser humano ou animal. Conceda-me que eu não encontre a morte por qualquer entidade, viva ou não viva, criada por você. Conceda-me,

ainda, que eu não seja morto por nenhum semideus ou demônio nem por qualquer grande serpente dos planetas inferiores.

Brahma concedeu o pedido, e assim Hiraniacaxipu se tornou praticamente imortal,[12] mas passou a perseguir as pessoas e a semear o caos, contrariando o sistema benigno estabelecido por Vixnu mediante o qual os piedosos são recompensados e os impiedosos são punidos. Impossível não pensar nas austeridades da agenda econômica global, segundo a qual os ricos ficam cada vez mais ricos, e os pobres são cada vez mais numerosos.

Ocorre, entretanto, que Nrisimhadeva foi capaz de driblar habilmente todas as proibições que protegiam Hiraniacaxipu até conseguir derrotá-lo em combate com suas garras afiadas. A imagem de sua vitória é impressionante: o demônio foi aberto ao meio e teve os intestinos enrolados ao redor de seu pescoço como uma guirlanda de flores. Esse mito sangrento da Idade do Bronze expressa há milênios a não equivalência entre o bem e o mal. Enrolado nos intestinos dos mais abastados, servindo eternamente à classe dominante, conhecedor de sua intimidade visceral, o povo testemunha a doença dos ricos por dentro.

4. HONRAR NOSSA MELHOR ANCESTRALIDADE

Se a competição é antiga, a cooperação também é. Usando um conceito amplo, capaz de abranger a vida em colônias e a simbiose, pode-se supor que interações cooperativas, seja entre indivíduos da mesma espécie, seja entre espécies diferentes, existiram desde o início da vida na Terra. A trajetória dos seres humanos, porém, levou a cooperação a patamares completamente novos. Nas palavras do historiador israelense Yuval Harari, "os sapiens podem cooperar de maneiras extremamente flexíveis com um número incontável de estranhos. É por isso que os sapiens governam o mundo, ao passo que as formigas comem nossos restos e os chimpanzés estão trancados em zoológicos e laboratórios de pesquisa".[1] Somos o resultado de um longuíssimo percurso cooperativo, e a valorização desse caminho é nossa melhor chance de seguirmos evoluindo.

Se quisermos permanecer no planeta, precisamos levar a sério os saberes sobre respeito e amor propagados por quase todas as religiões e tradições. No hinduísmo, no budismo e no cristianismo — religiões que somadas concentram mais de metade da população humana —, bondade, generosidade, partilha e respeito ao próximo são valores fundamentais. Quem fala em nome de Krishna, Buda ou Cristo, mas pratica preconceito, intolerância e violência é antikrishna, antibuda e anticristo.

O que fazer com os seres humanos que insistem em emular demônios? Nem matar, nem prender resolve o problema em sua essência. É preciso buscar a transformação profunda dos afetos e comportamentos, seja por intermédio da conversão religiosa a valores superiores, seja através de vivências terapêuticas que permitam compreender a maravilha que é existir, o privilégio de ser e o valor que a vida tem.

Entre diversos povos da África ocidental, como malinke, bambara, fula, hauçá, songai, tukulóor, mossi, dagomba, wolof e sererê, os homens chamados de griôs ou djélis protagonizam um papel social muito importante na educação das crianças e no aconselhamento de governantes. Os griôs são exímios trovadores e contadores de histórias, repositórios vivos das tradições orais que utilizam a poesia, o canto, a música instrumental e a dança para transmitir às novas gerações mitos, lendas, contos e épicos dos ancestrais. Nas palavras do griô Toumani Kouyaté, nascido em Burkina Faso: "Tudo está nos mitos: ciência, astronomia, astrologia, biologia, física, matemática, literatura, tudo isso está nos mitos".

Um exemplo mitológico de educador, com impacto verdadeiramente planetário, foi dado por Vicente Ferreira Pastinha, conhecido como mestre Pastinha, nascido em 1889 na cidade de Salvador.[2] Filho de uma negra baiana e de um imigrante espanhol, aos oito anos começou a treinar Capoeira com um africano chamado Benedito, para se defender das agressões de um menino maior.

Todo mundo gosta de vencer; o difícil é aprender a cair, a levantar e a se esquivar, com um sorriso no rosto e nova demanda para jogar. As antigas mandingas ensinadas por mestre Benedito a Vicente em pouco tempo permitiram que os conflitos da juventude fossem superados. O garoto franzino se tornou ágil como um gato e depois passou a ensinar sua arte, hoje chamada Capoeira Angola.

Inteligente, habilidoso e versátil, Vicente trabalhou na juventude como marinheiro, jornaleiro, pintor, alfaiate e leão de chácara, entre outros ofícios. Em 1941, fundou no Pelourinho, bem perto da igreja de Nossa Senhora do Rosário dos Pretos, a primeira escola de Capoeira Angola, um pulsante polo cultural que por três décadas conectou diversas expressões populares da Bahia a intelectuais de alcance internacional, como o escritor Jorge Amado, o artista plástico

Carybé, o fotógrafo, etnólogo e babalaô Pierre Fatumbi Verger e os filósofos Simone de Beauvoir e Jean-Paul Sartre.

Amplamente admirado por sua intensa sabedoria, mestre Pastinha viria a se tornar o mais influente mestre da Capoeira Angola. Essa luta bailada e musicada por vozes, berimbaus, atabaques, pandeiros, reco-recos e agogôs tem a fluidez bela e perigosa da cobra coral em movimento. Espirituosa, maliciosa e plena de significados implícitos, a roda formada para jogá-la é um teatro da vida e da morte, riscado e fundamentado no insondável oceano de memórias ancestrais. Sua origem é a dança da zebra — *n'golo* —, praticada por povos bantos no sudoeste de Angola.[3] Entre os ensinamentos essenciais de mestre Pastinha propagados por seus discípulos para as novas gerações destaca-se a importância de selecionar bem as experiências para viver melhor. Em suas sábias palavras, "a Capoeira é tudo que a boca come".

Tão formidável quanto e não menos influente foi Manuel dos Reis Machado, nascido em 1899 ou 1900 em Salvador como caçula de uma família de 25 irmãos.[4] Apelidado de Bimba pela parteira por ser do sexo masculino, Manuel começou a aprender o então chamado "jogo de Angola" aos doze anos, com um africano conhecido como Bentinho que navegava saveiros e conhecia o mundo. Bimba se destacava desde a infância por ser alto, forte e carismático, mas o treino com Bentinho viria a transformá-lo em exímio jogador de Capoeira, versador e tocador de berimbau.

Bimba trabalhou desde cedo na carvoaria, na estiva, na carpintaria, no trapiche e na charrete, até que começou a fazer fama como lutador em ringues de apostas. Por meio do combate contra desafiantes de diversas artes marciais, inicialmente em Salvador e depois em São Paulo e no Rio de Janeiro, Bimba foi amadurecendo, em seu próprio corpo, uma nova expressão que viria a se espalhar por todo o planeta: a Capoeira Regional, assim denominada por ter se originado na região da Bahia.

Mais dança de guerra do que teatro, jogada com muito balanço de corpo ao ritmo de um berimbau, dois pandeiros, palmas e canto, o estilo de Bimba transformou os gestos tradicionais da Capoeira Angola em movimentos novos, com golpes mais altos e mais velozes inspirados na arte marcial africana denominada batuque, que o pai dele, campeão na modalidade, ensinara ao agora reconhecido mestre Bimba.[5]

Mesmo celebrado em jornais por suas vitórias sensacionais, mestre Bimba não perdeu a consciência aguda de que a prática da Capoeira era crime previsto no Código Penal e de que a perseguição a seus praticantes, ao lado da feroz repressão ao candomblé e a outras manifestações culturais afro-indígenas, era uma forma de perpetuação do racismo. A Capoeira era associada à marginalidade, sendo representada como um risco para a sociedade.

A resposta encontrada por mestre Bimba para esse contexto tão adverso foi uma mistura genial de oportunidade, política e criatividade. Em 1928, ele foi convidado a fazer uma apresentação de Capoeira no palácio do governador da Bahia. Saiu de casa suspeitando de que seria preso em flagrante, mas após uma atuação maravilhosa foi ovacionado, abrindo o caminho para a descriminalização da Capoeira. Em 1937, inaugurou sua famosa escola no Pelourinho, a trezentos metros do local onde, poucos anos depois, mestre Pastinha viria a abrir sua academia. Em 1953, mestre Bimba apresentou sua Capoeira Regional para o então presidente Getúlio Vargas, que ficou estupefato e declarou que "a Capoeira é o único esporte verdadeiramente brasileiro". Esse encontro escancarou a porta da frente de teatros, praças, quartéis e escolas para a entrada da Capoeira.

E foi aí que o gênio escapou da lâmpada. O Capoeira não bate de frente, e sim de lado. Quando a juventude de Salvador entendeu que mestre Bimba não era apenas um portentoso lutador, mas também um talentoso professor e mestre inspirador para toda a vida, começou uma febre que propagaria seu nome por todos os cantos da cidade. Com o tempo, a mistura de eficácia marcial, musicalidade contagiante,[6] fundamentos africanos e jogo dinâmico e divertido fez do entusiasmo municipal pela Capoeira de Bimba uma paixão estadual, nacional e, por fim, internacional. Uma expressão local e específica da cultura afro-brasileira ganhou o mundo.

Na perspectiva da escritora afro-brasileira Miriam Alves, "o quilombo é uma escolha, gueto é quando te expulsam". Ao ensinar sua Capoeira tanto a negros e pardos das classes populares como a jovens brancos de classe média, muitos deles universitários, mestre Bimba tirou a Capoeira do gueto. Ao demonstrar sua arte a pessoas de círculos sociais tão distintos quanto um artista plástico argentino e uma filósofa francesa, mestre Pastinha tirou a Capoeira do gueto.

De origens muito humildes e opostos na atitude, no porte físico e na filosofia de vida, mestres Bimba e Pastinha se aquilombaram para criar ferramentas esportivas, acrobáticas, pedagógicas, filosóficas, musicais e espirituais que acabariam implantando a Capoeira em lugares tão remotos como Nova York, Luanda, Abu Dhabi, Tel Aviv e Tóquio. Juntos, deram impulso inigualável à codificação, à transformação e à disseminação dos fundamentos da Capoeira. Hoje, em calçadas, parques, academias e universidades de todo o planeta, pessoas de todas as idades e origens podem se beneficiar do empoderamento, do encantamento e da inversão de perspectivas que ela proporciona.

Desde sua origem, a Capoeira foi um espaço de convivência entre diferentes. Nos cantos das praças, africanos extremamente diversos em culturas, línguas e posições sociais esperavam por longas horas a contratação de seus serviços. À espera de o dinheiro correr, como esses nossos ancestrais passavam seu tempo? Negociavam espaços com rimas, troças e pernadas. Irmanados pela desgraça da escravidão, se misturavam nessas rodas todo tipo de gente: reis depostos, ex-rainhas, sacerdotes, quituteiras, versadores, amas de leite, guerreiros, ferreiros, pescadores e agricultores, quase sempre inimigos mortais em terras africanas, nas guerras que por quatro séculos alimentaram a máquina escravocrata transatlântica.[7] Estavam ali, entretanto, igualados pela miséria de terem sido capturados, vendidos, transportados, vendidos de novo e, afinal, usados como coisas.

Decerto precisavam dar vazão a frustrações, afirmar identidades e libertar corpos e mentes. Precisavam também se preparar para a violência e, sobretudo, se esquivar dela, pois quem foi escravizado já não pode arriscar perder mais nada. Dessa necessidade de reduzir e ao mesmo tempo demarcar a tensão social, surgiu uma luta letal, mas sutil, marcada pelo revezamento de dominância e pela capacidade de simbolizar, camuflar e metaforizar a violência. Para sobreviver ao desenraizamento, nossos ancestrais africanos inventaram um jogo em que a violência vira brincadeira e tem seu poder destrutivo sublimado em beleza, virtuosismo, malandragem e graça... até o dia ou a noite em que seja necessário usá-la para defender a vida.

Desde seus primórdios, a Capoeira nunca deixou de ser um inclusivo caldeirão cultural. No início do século XIX, no Rio de Janeiro, entre as pessoas aprisionadas por prática da Capoeira estavam africanos escravizados ou alforriados de origens diversas: Mina, Calabar, Congo, Benguela, Cabinda, Angola, Cassange, Cabundá, Rebolo, Monjolo, Songo, Mofumbe, Ganguela e Quissamã.[8] No final do mesmo século, maltas inteiras de brasileiros negros, pardos e brancos e até mesmo portugueses foram condenados pelo crime de capoeiragem[9] e enviados para trabalhos forçados na ilha de Fernando de Noronha. Nos anos iniciais da República, quando a perseguição policial quase extinguiu a Capoeira no Rio de Janeiro e no Recife, os degredados representavam um amplo arco de classes sociais, desde os mais humildes estivadores das docas até o filho do conde de Matosinhos, opulento comerciante e dono de jornal.

Hoje, mulheres e homens nascidos em lugares tão distantes quanto Polônia, Austrália e Índia aprendem a gingar, a dar aú, a tocar berimbau e a cantar ânsias de liberdade em português brasileiro com inúmeros sotaques. Turbilhão real e alegórico das relações entre fortes e fracos e das inversões de perspectiva do jogo da vida, a Capoeira tem valor universal. Visto de cabeça para baixo, esse mundo torto até que pode ter jeito.

Existem boas razões para termos esperança. Nunca, em tempo algum, nossa espécie teve tamanha riqueza de bens culturais para se adaptar e se reinventar. O que nos cabe agora é honrar o melhor de nossa ancestralidade. Nossa herança decorre das conquistas intelectuais e emocionais de incontáveis gerações de mulheres e homens que nos antecederam com muita sabedoria. Se hoje temos Capoeira, Ioga, skate, surfe, psicoterapia e hemogramas, é por causa da inteligência criativa de quem veio antes de nós. Se hoje temos vacinas, celulares, computadores e internet, é por causa da curiosidade e do trabalho árduo de nossos brilhantes ancestrais. Se hoje podemos a qualquer instante vibrar com Nina Simone, chorar com Edith Piaf, rimar com mestre Bule-Bule, requebrar com Fela Kuti ou pulsar com os tambores japoneses do grupo Kodo, é por causa do trabalho desses artistas geniais e de inúmeras pessoas envolvidas na criação, na confecção e na veiculação desses sons, do último arquivo de áudio que circula no planeta até o primeiro tambor inventado na África na aurora dos tempos, provavelmente parecido com o ngoma dos povos bantos, que por sua vez deu origem ao atabaque, à conga e a todas as suas variantes.

A história dessa família de instrumentos musicais ilustra o fato de que as perdas causadas pela perseguição de grupos sociais específicos só podem ser de algum modo compensadas pelo resgate ativo e disseminador do acervo cultural do passado. Entre os séculos XVII e XIX, nos territórios que hoje são os Estados Unidos da América, africanos escravizados foram culturalmente reprimidos até a quase completa extinção de suas tradições. O uso de tambores tocados com mãos ou varetas, essenciais a tantas práticas religiosas, artes marciais e celebrações dos povos da África ocidental, exemplifica o processo de massacre cultural a que estes foram submetidos. Durante o contrabando de homens e mulheres capturados na África rumo à América, nos porões dos navios negreiros, o uso de tambores era encorajado para manter o moral diante da mortandade por maus-tratos.

Com os sobreviventes dessa travessia infernal, chegaram à América as danças, os tambores e os golpes da bamboula, da calinda, do congo e da juba. Entretanto, ao desembarcarem e finalmente chegarem às grandes plantações de algodão para trabalho forçado e sem pagamento até o último dia de suas vidas, as pessoas escravizadas já não podiam mais tocar seus instrumentos.

Os escravagistas brancos cedo compreenderam que os africanos precisavam dos instrumentos de percussão para manter sua coesão social, sua identidade cultural e sua luta política. Os tocadores da África ocidental cultivavam códigos que permitiam a seus tambores "falar", possibilitando a troca de mensagens à distância. Para reprimir tal comunicação na preparação de rebeliões, os senhores de escravos chegavam a cortar as mãos dos tocadores de tambor. Ao contrário do que ocorreu no Brasil e em outros países da América, nos Estados Unidos a supressão desses instrumentos foi completa, eliminando qualquer resquício ao final do século XIX.

A despeito de toda essa repressão, a necessidade de expressão rítmica dos negros estadunidenses levou ao desenvolvimento de técnicas percussivas com a voz, as mãos e os pés que estão na base do sapateado, do soul, do spiritual, do blues e do jazz. O instrumento que toca mais fundo no coração fez um percurso tortuoso para voltar aos Estados Unidos. No século XX, depois de quase cem anos sem a presença de tambores no país, a conga voltou e se disseminou, estando hoje presente em bandas de inúmeros gêneros musicais de todo o planeta.

E pelo caminho da conga passaram o djembê, o batá e uma miríade de tambores africanos que diferem em tamanho, aparência e modo de usar, mas coincidem num ponto essencial: tocam profundamente nossa emoção. O ritmo é a base da música, e seu exercício, tanto como estímulo auditivo quanto como movimento circular de mãos e braços, tem efeitos terapêuticos.[10] Todas e todos têm o direito de se beneficiar da maravilha do toque e do som dos tambores.

Esse exemplo permite apreciar a enormidade da riqueza de ideias e comportamentos acumulados por nossa espécie. Assim como os tambores, tudo que nossos ancestrais nos legaram em todos os recantos do planeta constitui nossa herança comum. Nas palavras do mestre João Angoleiro, liderança artística, cultural e espiritual de Belo Horizonte, fundador do grupo Associação Cultural Eu Sou Angoleiro (Acesa), o encontro de culturas permite vivenciar

> várias formas de saberes tradicionais que estão guardadas no bumba meu boi, na Capoeira Angola, no tambor de crioula, na dança afro-brasileira, no samba de raiz, nos brinquedos e brincadeiras antigos [...]. Identidade para nós, guardiões, homens da cultura, é questão de sobrevivência, é questão de vida ou morte,

porque sem identidade não se produz nem a serotonina necessária para produzir alegria no dia a dia e dar sentido à nossa vida. Portanto, o que está em jogo são nossas últimas fronteiras da humanidade. Por isso estamos convidando vocês a [...] se alimenta[r] do que há de bom e de melhor, tanto de nossa culinária popular, tradicional, como também do alimento espiritual.[11]

A prática seletiva dos mais belos, saudáveis e eficazes saberes humanos aponta para uma alegria perene e um desenvolvimento cultural magnífico.

5. ASSUMIR NOSSO LUGAR NO UNIVERSO

No centro da nossa galáxia há um buraco negro com 4,5 milhões de vezes a massa do Sol. Nosso planeta leva 250 milhões de anos para dar uma única volta completa na galáxia. O tempo de uma vida humana é apenas um instante cósmico. A Terra não é o centro do Sistema Solar, e muito menos do Universo. A humanidade não espelha a face divina nem mais nem menos do que a raposa, o texugo, o polvo, o coronavírus ou a pedra que rola na pedreira. O eu consciente que navega pelo passado e pelo futuro com a velocidade da imaginação não é o dono do mundo interior, mas um habitante assombrado pelos fantasmas das criaturas da mente inconsciente, esse vasto zoológico de feras maravilhosas e complexas que toda pessoa carrega dentro de si.

Por isso mesmo, somos animais com intensa fome de viver. Primatas bípedes da mais apaixonada sociabilidade, cheios de curiosidade e afeto. Macacos capazes de olhar dentro do olho da divindade que integram, numa perspectiva totalmente original de seres que optam pelo amor, pela liberdade, pela fraternidade, pela igualdade de oportunidades e pela conjunção de saberes.

O vertiginoso encontro de povos propiciado pelo final da última glaciação, há 11,5 mil anos, permitiu uma explosão cultural sem precedentes. Inicialmente, ampliou-se a diversidade pela abundância de recursos, com a dispersão de grupos humanos isolados entre si e sem línguas em comum. Depois, a diversidade se reduziu pelo atrito de culturas, e começou um longo processo de globalização marcado pela dominação transitória de tradições específicas, hoje em seu apogeu.

Não há limites para os benefícios resultantes da mistura de elementos culturais tão diferentes que ainda preservamos. Estamos adentrando a época em que tudo do bom e do melhor será possível, desde que saibamos alinhar causas e consequências para beber com sensatez desse gigantesco repertório de saberes científicos e não científicos, criando combinações culturais à altura dos desafios do futuro.

Que lugar ocupamos no Universo? Qual queremos ocupar? O fascínio com viagens espaciais é compreensível, mas se de fato queremos levar as culturas humanas a outros planetas temos de arrumar nossa casa antes. Enquanto o sofrimento e a desigualdade persistirem na Terra, não teremos nada de bom para levar a outros lugares do Universo. Aqueles que investem pesado nos foguetes deveriam investir mais ainda em educação e saúde, caso contrário estarão contribuindo para o espalhamento sideral do Kali Yuga.

Pense no cosmos como um sonho de Vixnu, uma simulação de realidade feita de um tudo que não existia há 13,77 bilhões de anos. Nossos antepassados pré-históricos experimentaram a consciência elevada da coletividade incorporada no cosmos, imersa num emocionante animismo. Por dezenas, talvez centenas de milhares de anos, os mais velhos dos nossos mais velhos viveram rente à percepção do grande jogo cósmico. Decerto houve muita competição e predação durante todo o Paleolítico, mas não existiam mecanismos para que isso se tornasse a tônica da experiência social. Entretanto, há poucos milhares de anos, mas num crescendo até o estupor do presente, nossa ancestralidade foi aprisionada pela engrenagem comportamental perversa dos jogos humanos de acumulação e opressão.[1]

Quando diz que "o futuro é ancestral", Ailton Krenak exprime que não teremos futuro sem o resgate das cosmovisões sustentáveis do passado. Privado de natureza, sono, alimentação, exercício físico e relações humanas de qualidade, o homem branco se enfiou num beco existencial e ecológico que parece não ter saída.

Entre as capacidades ancestrais que precisam ser recuperadas, o sonho tem lugar central. A sociedade dos brancos desaprendeu a arte de sonhar, que exige memória, intenção, interpretação e coletivização das imagens oníricas pela narrativa ao despertar. Segundo o xamã yanomami Davi Kopenawa, "os brancos não sonham tão longe quanto nós. Dormem muito, mas só sonham com eles mesmos".[2] A atrofia da capacidade de sonhar reflete o sequestro do desejo pela relação desmedida com as mercadorias. Davi Kopenawa explica:

> No começo, a terra dos antigos brancos era parecida com a nossa. Lá eram tão poucos quanto nós agora na floresta. Mas seu pensamento foi se perdendo cada vez mais numa trilha escura e emaranhada. Seus antepassados mais sábios […] morreram. Depois deles, seus filhos e netos tiveram muitos filhos. Começaram a rejeitar os dizeres de seus antigos como se fossem mentiras e foram aos poucos se esquecendo deles. Derrubaram toda a floresta de sua terra para fazer roças cada vez maiores […]. Aí começaram a arrancar os minérios do solo com voracidade. Construíram fábricas para cozê-los e fabricar mercadorias em grande quantidade. Então, seu pensamento cravou-se nelas e

eles se apaixonaram por esses objetos como se fossem belas mulheres. Isso os fez esquecer a beleza da floresta. Pensaram: [...] "Somos mesmo o povo da mercadoria! Podemos ficar cada vez mais numerosos sem nunca passar necessidade!" [...] Por quererem possuir todas as mercadorias, foram tomados de um desejo desmedido. Seu pensamento se esfumaçou e foi invadido pela noite. Fechou-se para todas as outras coisas. Foi com essas palavras da mercadoria que os brancos se puseram a cortar todas as árvores, a maltratar a terra e a sujar os rios. Começaram onde moravam seus antepassados. Hoje já não resta quase nada de floresta em sua terra doente e não podem mais beber a água de seus rios. Agora querem fazer a mesma coisa na nossa terra.[3]

Essas críticas se aplicam a todas as cosmovisões aquisitivas, eurocêntricas ou não. A doença do dinheiro não é privilégio apenas dos brancos, pois acomete também os povos colonizados e cooptados. Entretanto, felizmente existem recursos imateriais abundantes de matrizes africana, asiática, melanésia, polinésia e mesmo europeia para sustentar a força vital da cultura humana. Um exemplo vem da mitologia dos orixás: "Oxalá tinha um filho chamado Dinheiro, prepotente e abusado, que se achava mais poderoso que o pai. Contando vantagem, proclamou ser tão destemido que era capaz de capturar até a Morte". Depois de enganá-la e aprisioná-la com uma rede, Dinheiro foi se exibir para seu pai:

> Mas Oxalá o recebeu furioso: "Ah! Tu que és capaz de causar todo o bem e todo o mal agora te atreves a trazer à minha casa a própria Morte, só para dar provas de tua força! Vai-te embora daqui com tua conquista, filho destemperado. Dinheiro que carrega a Morte nunca será boa coisa, mesmo que tudo possa comprar e possuir". E assim Oxalá expulsou o Dinheiro de sua casa.[4]

Precisamos lançar mão de todos os recursos existentes para contar a nossa história completa, que inclui todas as narrativas dominantes e suas contranarrativas correspondentes, aquelas feitas pelos oprimidos e por isso mesmo abafadas ou apagadas no registro histórico. É preciso amplificar tais vozes de forma proporcional à sua fragilidade. A verdadeira história humana só pode ser entendida como a soma ponderada das narrativas de presas e predadores, com ressonância maior para as vozes das presas e menor para as vozes dos predadores. Essa forma de equilibrar as narrativas resgata uma possível tradição paleolítica, sugerida por pinturas rupestres encontradas em cavernas, em que locais de boa acústica são selecionados para representar presas e de má acústica para representar predadores. A verdadeira história humana é a história de tod@s.

Uma compreensão detalhada do percurso de nossos ancestrais hominídeos para fora da África exige compreender de que modo seus genes fluíram entre as diferentes populações que migraram em múltiplas direções e como foram preservadas, transformadas e disseminadas suas línguas, seus hábitos e suas cosmovisões. É preciso entender todas as perspectivas envolvidas nesse percurso, sem cair no equívoco de mirar apenas um ponto de vista. A escritora nigeriana Chimamanda Ngozi Adichie escreveu um pequeno e precioso livro sobre os perigos da história única:

> É impossível falar sobre a história única sem falar sobre poder. Existe uma palavra em igbo na qual sempre penso quando considero as estruturas de poder no mundo: *nkali*. É um substantivo que, em tradução livre, quer dizer "ser maior do que outro". Assim como o mundo econômico e político, as histórias também são definidas pelo princípio de *nkali*: como elas são contadas, quem as conta, quando são contadas e quantas são contadas depende muito de poder.[5]

A contrapelo das relações de poder em que uma perspectiva se impõe a outras, os valores que mais interessa resgatar em todas as nossas vertentes culturais dizem respeito ao amor, àquilo que a psicóloga estadunidense Carol Gilligan chamou de ética do cuidado. A espécie humana se caracteriza pela dicotomia entre o cuidado com pessoas consideradas do círculo íntimo e a competição com aqueles considerados excluídos desse círculo por seu gênero, sua orientação sexual, sua raça, sua cultura, sua religião ou sua casta. Desde o Paleolítico Superior existem evidências de que nossos ancestrais desenvolveram uma sofisticada ética do cuidado,[6] baseada nos valores da atenção, da responsabilidade, da comunicação, da responsividade, da competência, da confiança, do respeito, da solidariedade e da pluralidade. Nossa ancestralidade é violenta, mas certamente é também amorosa, altruísta e capaz de esmerados cuidados parentais.

A enorme capacidade humana de proteger os "de dentro" e combater os "de fora" fez de nós uma espécie híbrida de amor e ódio: "Para a família, tudo; para os desconhecidos, a lei da selva". Essa dicotomia tem bases evolutivas e biológicas antigas, como o papel do hormônio ocitocina na produção de comportamentos de medo ou de amor, dependendo do contexto social.[7]

Felizmente, somos bons em fazer amigos. Nosso comportamento intergrupal é muito mais flexível do que o de chimpanzés e outros primatas no que se refere a estranhos. Somos capazes de interagir com desconhecidos de várias maneiras diferentes sem usar violência, num diapasão que vai da formalidade impessoal até o início de uma grande amizade.[8] Essa facilidade de sociabilização deve ter desempenhado um papel fundamental no espalhamento geográfico e genético de nossa linhagem sapiens.

Como é possível não ensinar nas escolas que somos o resultado da mistura de muitas subespécies distintas de seres humanos, o que fez de todos nós seres altamente híbridos? Que se desconheça Enheduana, sacerdotisa mesopotâmica de contribuição essencial para a literatura, primeira pessoa a se constituir autora de um texto? Que escolas e universidades europeias continuem a celebrar Cristóvão Colombo sem colocar em perspectiva seu papel pioneiro no genocídio persistente dos povos originários? Que nas escolas dos países americanos não se aprenda sobre o almirante chinês Zheng He, que navegou grande parte do planeta meio século antes da conquista do cabo das Tormentas por navegantes portugueses? Que a filósofa e matemática Hipátia de Alexandria tenha sido apedrejada por cristãos a mando de um homem que depois seria canonizado como são Cirilo? Que se ignore que a Inquisição católica queimou na fogueira dezenas de milhares de pessoas, entre elas gente condenada por crimes associados à orientação sexual? Que não se fale que bandeirantes paulistas liderados pelo impiedoso português Raposo Tavares promoveram uma gigantesca matança de indígenas, com especial desgraça dos guaranis? Que se ignore que a descoberta da dupla hélice do DNA por James Watson e Francis Crick foi realizada com base em dados roubados de uma colega química, Rosalind Franklin, que morreu de câncer poucos anos depois de ver os ladrões publicarem a descoberta sem mencioná-la? Que se aceite que Alan Turing, genial matemático responsável por quebrar os códigos secretos nazistas e assim salvar o Reino Unido na Segunda Guerra Mundial, tenha sido preso por ser gay, obrigado à castração química e levado ao suicídio?

Precisamos passar nossa história e pré-história a limpo, desamordaçando e ressuscitando as narrativas das presas — aquelas pessoas cujo corpo, cuja força ou cuja mente foram devorados pelos humanos predadores. Por isso mesmo, é urgente reconhecer a centralidade das contribuições femininas na produção da cultura humana. Nas palavras de David Graeber e David Wengrow:

> Em quase todos os lugares, colher plantas silvestres e transformá-las em alimentos, remédios e estruturas complexas como cestos ou roupas é uma atividade feminina e pode ser classificada como feminina mesmo quando exercida por homens. Não é um universal antropológico, mas é o mais próximo disso que se pode esperar. [...]

Por conhecimento baseado nas plantas não nos referimos apenas a novas formas de trabalhar com a flora silvestre para produzir alimentos, especiarias, remédios, pigmentos ou venenos. Referimo-nos também ao desenvolvimento de atividades e ofícios baseados em fibras e às formas de conhecimento mais abstrato sobre as propriedades do tempo, do espaço e das estruturas que tais atividades e ofícios tendem a gerar. Muito provavelmente, a produção de tecidos, cestos, redes, esteiras e cordames sempre se desenvolveu em paralelo com o cultivo de plantas comestíveis, o que também implica o desenvolvimento de conhecimentos matemáticos e geométricos que estão (literalmente) entrelaçados com a prática desses ofícios. [...]

Mas o barro também era usado, nas mesmas épocas e nos mesmos lugares, para moldar (literalmente) relações de tipos totalmente diversos, entre homens e mulheres, entre pessoas e animais. As pessoas começaram empregando as suas qualidades plásticas para resolver problemas mentais, fazendo pequenas peças geométricas que muitos veem como precursoras diretas de sistemas posteriores de notação matemática. Os arqueólogos encontram esses minúsculos instrumentos numéricos diretamente associados a estatuetas de animais de rebanho e mulheres de corpo inteiro. [...]

Vistas dessa forma, as "origens do cultivo" começam a se afigurar não tanto uma transição econômica, mas sim uma revolução dos meios de comunicação, que era também uma revolução social, abrangendo tudo, da horticultura à agricultura, da matemática à termodinâmica, da religião à remodelação dos papéis de gênero. E, embora não possamos saber com certeza quem estava fazendo o que nesse admirável mundo novo, é mais do que claro que o trabalho e o conhecimento das mulheres tiveram papel central na sua criação.[9]

Também precisamos entender de que forma tais papéis se alternam em nosso percurso histórico. O pêndulo da história não para de oscilar. No conflito entre Palestina e Israel, ambos os lados preservam e propagam narrativas que lhes atribuem direitos territoriais ancestrais. Em 586 a.C., Nabucodonosor II da Babilônia sitiou Jerusalém, destruiu o primeiro Templo de Salomão e escravizou os judeus. Em 70 d.C., as tropas romanas do general e depois imperador Tito cercaram e devastaram Jerusalém, matando entre 100 mil e 1 milhão de pessoas. Do segundo Templo de Salomão só restou o Muro das Lamentações. O regime nazista exterminou cerca de 6 milhões de judeus. Há décadas Israel mantém os palestinos cercados, humilhados e em retrocesso territorial. Há mesmo muito o que lamentar.

Crueldade semelhante acontece no Iêmen, onde a Arábia Saudita financia desde 2014 uma guerra devastadora que colocou 2 milhões de crianças em estado de desnutrição profunda. Em 26 de outubro de 2018, após um longo período de torpor e vômitos, a menina Amal Hussain morreu num campo de refugiados a poucos quilômetros do hospital da ONU. A família não tinha recursos para levá-la até lá. A foto de seu corpo esquálido correu o planeta. Sua mãe, Mariam Ali, declarou: "Meu coração está despedaçado. Amal estava sempre sorrindo. Agora, estou preocupada com meu outro filho".[10] Amal tinha sete anos.

A violência contra adolescentes e crianças é incessante. Aos quinze anos, a corajosa ativista digital Malala Yousafzai começava a se tornar internacionalmente conhecida por seu blog em defesa da educação gratuita para mulheres paquistanesas. Um dia, voltando da escola, foi emboscada dentro de um ônibus escolar por um homem desconhecido. Tratava-se de um talibã, fundamentalista islâmico contrário à educação formal das mulheres. O homem barbudo perguntou o nome da menina e em seguida disparou vários tiros à queima-roupa. Duas outras meninas foram atingidas nas mãos e nos ombros, enquanto Malala recebeu um tiro na têmpora esquerda. A bala entrou pela cabeça, saiu do outro lado e foi se alojar no ombro. O projétil destruiu parte do crânio e lacerou um olho, um nervo facial, um tímpano e as articulações da mandíbula da jovem.

Por sorte, o cérebro não sofreu danos importantes.

Após cuidados médicos excelentes no Paquistão e no Reino Unido, Malala sobreviveu à tentativa de assassinato para narrar e lutar. A frágil menina se transformou num obstinado ícone global da igualdade de direitos entre mulheres e homens. Regressou com energia redobrada ao debate de ideias e dois anos depois se tornou a pessoa mais jovem a receber um prêmio Nobel — nesse caso, da paz. Sobrevivência e empoderamento das vítimas são a suprema resistência à violência.

A história redentora de Malala contrasta com a tragédia desesperadora e cotidiana das inúmeras infâncias interrompidas nas favelas do planeta. Aos oito anos, no complexo de favelas do Alemão, ao regressar da escola com sua mãe, a estudante negra Ágatha Félix foi baleada por um soldado da Polícia Militar. A menina foi alvejada pelas costas e chegou a ser socorrida, mas morreu horas depois de ser admitida no hospital, deixando para sempre atônita mais uma mãe preta. Um ano depois, outras 28 crianças haviam sido baleadas nas favelas do Rio de Janeiro,[11] quase todas negras. Oito morreram. A justificativa policial é quase sempre a mesma: guerra às drogas.

Em São Paulo não é diferente. Menos de três meses depois do assassinato de Ágatha, numa madrugada de sábado para domingo, com a justificativa de perseguir traficantes armados, a Polícia Militar invadiu um baile funk na favela de Paraisópolis e encurralou 5 mil jovens com violência indiscriminada. Na correria e com os espancamentos que se seguiram, nove jovens morreram e dezenas saíram feridos. As vítimas eram quase todas pretas e pardas, e seus algozes, também. Nos versos da escritora Conceição Evaristo: "A voz de minha bisavó/ ecoou/ criança/ nos porões do navio./ ecoou lamentos/ de uma infância perdida".[12] A guerra às drogas é uma máquina racista de destruição de infâncias e adolescências negras, que atua através da estigmatização, do encarceramento, da tortura e da execução, como foi no passado a escravização de indígenas e africanos.

Nas palavras do economista Mário Theodoro,

> o racismo opera no seio das instituições de segurança pública e judiciárias em suas diversas fases e ações, que faz com que a violência e a falta de justiça assumam um papel central no funcionamento da sociedade desigual [...]. A polícia que vai à favela é também uma polícia política, um braço do Estado que está ali unicamente para a tarefa de repressão, mas uma repressão que é fundamentalmente política e cuja violência é muitas vezes letal e não aceita divergências.[13]

Elucida Emicida: "Meus heróis também morreram de overdose,/ De violência, sob coturnos de quem dita decência". Em meio a tanta desdita, que destino nos fita?

* * *

Na língua iorubá, falada na Nigéria, no Benim e no Togo, a palavra "odu" significa destino e corresponde a padrões formados por búzios ou nozes, utilizados no oráculo de Ifá e em outras práticas divinatórias. Na religião tradicional iorubá e nas múltiplas vertentes praticadas em diversos países da América, existem dezesseis odu maiores que se combinam num total de 240 odus menores. Nessas religiões, acredita-se que o conjunto desses padrões compreende todas as possibilidades necessárias para expressar qualquer situação específica da vida.

Um conceito muito semelhante aparece no *I Ching*.[14] Nesse livro chinês cujas origens remontam a 3 mil anos atrás, 64 hexagramas maiores descrevem as principais possibilidades de mudança. As variações em cada uma das seis linhas que compõem os hexagramas correspondem a centenas e até a milhares de variações específicas, dependendo de como são consideradas tais mudanças.

No oráculo de Ifá, Etaogundá é um odu representado por três conchas abertas e treze fechadas. Segundo Agenor Miranda Rocha, importante babalorixá do candomblé nascido em Angola em 1907, criado em Salvador e falecido no Rio de Janeiro em 2004, esse odu se expressa pela história de um senhor de grande prosperidade que decaiu até a completa miséria e então se embrenhou no mato com uma corda a fim de se enforcar.[15]

Entretanto, quando estava prestes a cometer o ato, teve sua atenção chamada por um pobre leproso que se esforçava para equilibrar um jarro de água na cabeça. Ao imaginar a dificuldade enfrentada pelo homem e compartilhar a sua dor, sentiu o alento de ainda ter saúde. Desistiu do suicídio dando graças a Deus, regressou para casa e retomou sua vida com entusiasmo. Algum tempo depois, seu pai faleceu e ele se tornou rei. Lembrou-se então do homem leproso e mandou chamá-lo para partilhar com ele suas riquezas.

Esse odu se aplica ao estado atual de nosso planeta, pois esclarece que, numa situação difícil, marcada por prejuízos e com grande chance de péssimas consequências futuras, é preciso saber se colocar no lugar do outro para encontrar a motivação de seguir vivo. Somente agindo com empatia, prudência e bondade poderemos superar as nossas agruras.

O oitavo hexagrama do *I Ching*, Bi — que em chinês significa "união" ou "solidariedade" —, também provê orientação sobre como proceder diante de riscos iminentes para a coletividade. A sequência do hexagrama diz que "em uma multidão, é preciso haver um vínculo de união. Assim, depois da Multidão vem a União".[16] Bi é formado pelos trigramas "Água" em cima e "Terra" embaixo e tem como decisão as seguintes palavras de alerta: "Buscando a união. Boa fortuna. Examine a adivinhação. Sublimemente perseverante, persistente e reto. Nenhuma culpa. Facções agitadas a caminho. Atrasar-se: infortúnio". Quando uma situação é urgente, apressar-se é fundamental.

Segundo o mestre taoista Alfred Huang, "esse hexagrama expõe a importância de ser amoroso e carinhoso em uma união. As pessoas que vivem juntas precisam amar e se importar umas com as outras. Em nossa vida cotidiana, nada é mais nocivo que os conflitos sucessivos e nada é mais auspicioso que os relacionamentos harmoniosos". Bi expressa com nitidez a importância de não cultivar relações tóxicas em qualquer esfera.

Não podemos mudar o passado. É impossível retroceder a mortandade de povos em todo o planeta. Não podemos reverter o massacre dos cátaros pelos cruzados albigenses nem abolir o bombardeio arrasador de Calicute por Vasco da Gama, assim como não dá para anular o morticínio e o banzo da diáspora forçada dos 12 milhões de africanos escravizados nas Américas. Não podemos desfazer os campos de concentração nazistas que torturaram e mataram milhões de judeus, comunistas, anarquistas, artistas, gays, pacientes psiquiátricos, usuários de drogas e ciganos, nem fazer retroceder as bombas de Hiroshima e Nagasaki, que no intervalo de três dias calcinaram mais de 200 mil crianças, adultos e idosos.

O passado não pode ser mudado e, quando alterado, serve para fraudar o futuro. O que podemos e precisamos fazer quanto às atrocidades do passado é conhecê-las e debatê-las profundamente, para que nunca mais venham a acontecer. O passado precisa ser preservado em todos os detalhes possíveis, para que sempre lembremos dele, pois é do seu aprendizado que vem nossa adaptação ao futuro.

Para nos adaptarmos melhor, precisamos reconhecer que os saberes não se sobrepõem uns aos outros, pois são entidades diversas do vastíssimo ecossistema mental de nossa espécie. Aprendemos sobre o mundo fazendo observações empíricas e formando modelos de como as coisas funcionam, e isso vale tanto para o xamã quanto para o cientista, tanto para a escritora quanto para a diarista. Dois fenômenos aparentemente ligados por um vínculo causal são "explicados" pela existência de uma metáfora e de uma medida sensorial.

Na medicina ocidental que se tornou hegemônica em todo o mundo, por exemplo, a febre é considerada um dos vários sintomas de um processo inflamatório que pode ter origens diversas, não sendo em geral a causa da doença, mas sua consequência. Para explicar a febre, entram em cena diversos modelos mentais do funcionamento integrado de órgãos e células, atravessando múltiplos níveis de explicação em diferentes escalas espaciais e temporais. Entre os yanomamis, por outro lado, acredita-se que as crianças que morrem de febre são presas do espírito Sol, Mot^hokari, que as enrola no algodão quente que sua mulher fia para então devorá-las.[17] O calor do Sol metaforiza o superaquecimento do corpo, criando um modelo de como o adoecimento acontece e evidenciando a necessidade de interromper a febre para evitar a morte. O aumento de temperatura medido pelo pajé ou pela enfermeira é um sinal de que em ambos os casos há o agravamento da doença, mas as metáforas que embasam as explicações da febre são bastante diferentes dependendo da cultura de referência.

Cientistas normalmente gostam de pensar que não lidam com metáforas, e sim com fatos e objetos reais, mas basta um pouco de reflexão para perceber os limites desse raciocínio. É impossível descrever alguma coisa do mundo em si mesma, é sempre necessário fazer referência ao que a integra, ou ao que ela integra, ou ao que se parece com ela. A metáfora e outras figuras de linguagem são inevitáveis em qualquer nível ou aspecto da realidade que se tente descrever.

Vejamos alguns exemplos. A célula ciliar da cóclea humana, órgão receptor das ondas sonoras em nosso ouvido interno, sinaliza a existência ou não de sons por meio de uma especialização celular que "funciona como" uma mola. O coração "funciona como" uma bomba de sangue. O cérebro "funciona como" uma rede de computadores. O buraco negro no centro da Via Láctea "funciona como" um ralo de energia. Se avançarmos de forma gradual em direção às coisas infinitamente pequenas, de células para moléculas, átomos e partículas subatômicas, entraremos num universo de abstrações que "funcionam como" bolas ou ondas — mas não o são de fato. Porque o real, sem metáforas, a seco e cru como é, não se dá a conhecer. Nunca, jamais.

É por tudo isso que precisamos ter o máximo respeito com todas as metáforas. Os usos do curare e do timbó são saberes tradicionais cultivados por povos amazônicos tão distintos como os jivaros na fronteira Equador-Peru, os kaxinawás na fronteira Brasil-Peru e os yanomamis na fronteira Brasil-Venezuela. Inúmeras gerações desses povos descobriram e desenvolveram o uso de certas espécies de plantas para matar peixes e caçar animais terrestres ou voadores. Esse saber foi alicerçado em mitos que explicam a origem dessas práticas, como a história yanomami sobre a entidade Porepatari, que teria originado a pesca com o timbó e a caça com curare nas setas.[18] Foram narrativas assim que preservaram e ampliaram o conhecimento ancestral sobre causa (planta) e efeito (paralisia muscular, morte por parada respiratória).

Sem essa construção do saber, como teria sido possível para a médica e cientista escocesa Mary Walker descobrir nos anos 1930 que o curare paralisa músculos e mimetiza os sintomas de fraqueza muscular da doença miastenia gravis? Sem os saberes tradicionais, como teria Mary conseguido descobrir que a fisostigmina, um antídoto natural do curare, originalmente usado como veneno pelo povo efik do sudeste da Nigéria, recupera de forma transitória os pacientes de miastenia gravis? Para além da inovação clínica, essa confluência de saberes tradicionais e científicos acabou revelando o papel essencial da acetilcolina no controle neuromuscular.[19]

Como explicou muito bem o filósofo austríaco Paul Feyerabend, as descobertas científicas são produto da libertação do pensamento e da experimentação, sem amarras conceituais.[20] É somente da pluralidade de saberes que pode emergir uma aproximação menos ilusória do real.[21] Ideias que hoje fazem sentido podem deixar de fazê-lo no futuro, e depois podem vir a reconquistá-lo.

Considere, por exemplo, a teoria da evolução formulada no início do século XIX pelo biólogo francês Jean-Baptiste de Lamarck, baseada na ideia de que mudanças nos indivíduos causadas por fatores ambientais podem se perpetuar pelas gerações seguintes. A teoria de Lamarck teve enorme influência sobre Darwin, mas este afinal a sobrepujou com sua própria teoria da evolução, baseada na seleção natural de mutações espontâneas em estruturas hipotéticas que hoje sabemos serem as moléculas de DNA que compõem os genes.

Por quase dois séculos Lamarck foi tratado com desprezo e mesmo com chacota nas disciplinas biomédicas, até que no final do século XX começou a ficar claro que o ambiente de fato afeta os níveis de expressão gênica que pode ser transmitida de forma hereditária sem qualquer alteração na sequência de DNA. Nascia uma nova área da biologia formada pela palavra "genética" e pelo prefixo "epi" ("acima", em grego). Alterações epigenéticas ligadas ao estresse parecem participar da produção e da manutenção transgeracional de traumas.[22] Se não é razoável afirmar que Lamarck estava certo, tampouco é possível dizer que estava errado.

A realidade é bem mais complexa do que certo e errado. Ela só pode ser compreendida por intervenção de paralaxes, criadas por múltiplos pontos de vista não excludentes entre si. A partir de visões induzidas pela ingestão da ayahuasca, indígenas ashaninka da Amazônia peruana acreditam em espíritos presentes em todos os seres, como serpentes para sempre entrelaçadas em metamorfose, mudando a cada instante enquanto permanecem as mesmas, ao mesmo tempo simples e duplas, longas e minúsculas. Qualquer semelhança com a molécula de DNA e suas duas fitas entrelaçadas presentes em todo os seres vivos é mero alinhamento de cosmovisões.[23]

Para o bem de nossos descendentes, é preciso proteger a diversidade na construção de metáforas de explicação do mundo. É imprescindível garantir a tolerância e a porosidade entre os saberes, a polinização cruzada entre conhecimentos, a possibilidade respeitosa de diferentes misturas, com permissões conscientes e recíprocas para que as trocas de informação sejam férteis, e os múltiplos sentidos, considerados em conjunto, permitam avançar o saber humano.

6. SONHAR O FUTURO DA VIDA

Não podemos seguir vivendo como se nossos atos não tivessem consequências. Não podemos seguir sonhando sem intenção de transformação nem intencionar uma transformação insuficiente que não resolva verdadeiramente nossos problemas. A única intenção responsável neste momento é uma revolução educacional planetária ligada à ética do cuidado.

Um conceito central no xamanismo é a importância da intenção — o intento — para sonhar as imagens de transformação. Os xamãs com frequência buscam sonhar como quem caça ideias, e não como quem é caçado por elas. Sonhar sem intenção é como tentar navegar um barco com a vela e o leme soltos. Sonhar com intenção é compromisso com a navegação firme, que controla o curso apesar das ondas e rajadas.

É preciso aumentar o grau de consciência para que as ações de transformação do planeta sejam voluntárias, direcionadas e eficazes. Caso essas palavras não façam sentido para você, tente "propósito", "missão" ou "responsabilidade". Para honrarmos nossa descendência, precisamos curar nossa ancestralidade brutal. Se um casamento significa abrir mão de metade do que se é, casar bem é abrir mão da nossa pior metade. Precisamos nos casar com o futuro da espécie e por isso chegou a hora de questionar tudo o que não se alinha com o amor, pois só esse sentimento permite a plenitude do prazer de viver e a convivência pacífica entre tantos indivíduos.

Nas palavras de James Baldwin, "o amor tira as máscaras que tememos não poder viver sem e sabemos que não podemos viver por dentro. Eu uso a palavra 'amor' aqui não apenas no sentido pessoal, mas como um estado de ser, ou um estado de graça — não no sentido infantil americano de ser feliz, mas no sentido duro e universal de busca, ousadia e crescimento".[1] A grande cantora e compositora estadunidense Nina Simone explica didaticamente: "Você tem que aprender a levantar-se da mesa/ quando o amor não estiver sendo mais servido". E Vinicius de Moraes completa: "Ah, se eu pudesse encontrar o amor/ E dizer-lhe que estou ao seu inteiro dispor".

Estamos?

O amor é a coisa mais subversiva que existe, e as novas tradições ainda serão criadas à sua imagem e semelhança. A literatura, o rádio, o cinema, a TV e a internet recabearam e continuam recabeando nossos cérebros. Não somos mais os mesmos, nunca mais seremos. Há tanta coisa acontecendo ao mesmo tempo que ainda não houve tempo de compreendermos o que está se passando diante de nossos narizes enfiados em smartphones e máscaras.

O advento da inteligência artificial prenuncia para muito em breve a chegada das máquinas conscientes e nossa visceral conexão com elas. Se não aprendermos as lições fundamentais do passado, elas serão feitas à imagem e semelhança de seus criadores: incapazes de amar.

Se você acha que estou exagerando, pense no anúncio feito por Elon Musk[2] de que em 2022 disponibilizará comercialmente robôs humanoides para "eliminar tarefas perigosas, repetitivas e monótonas". Leia-se: eliminar o trabalho humano. Ele diz isso de forma explícita: "Essa será uma mudança muito profunda. O que é a economia senão o trabalho? O que acontecerá com ela quando não houver falta de trabalhadores? Creio que precisaremos de uma renda básica universal". É reconfortante saber que uma das pessoas mais poderosas do planeta, incluída entre os 0,01% mais ricos em bens materiais, compreende a necessidade de garantir as necessidades mínimas dos outros 99,9%. É chocante, entretanto, que Musk não tenha tido a decência de ajudar a implementar a renda universal *antes* da chegada iminente dos robôs.

Os riscos extraordinários da situação atual estão fartamente mapeados pela ficção científica. Se você não se assusta com a perspectiva atual, leia e assista às inversões de perspectiva com desfecho infeliz para a humanidade, busque a literatura, o audiovisual,[3] o teatro, as artes plásticas. Um momento de tanta urgência exige beber da fonte de toda a narrativa humana, realidade ou ficção, pois é bem-vinda toda ideia que nos permita compreender o futuro perigoso para o qual nos lançamos em aceleração crescente.

Bebendo das sábias palavras de mestre Pastinha, o futuro planetário deve ser "tudo que a boca come". Afinal, o que não foi de fato vivido por fora, na realidade exterior, o que foi como realidade interior na imaginação, na malha neuronal que sonha, devaneia e simula cenários. Precisamos mais do que nunca da ficção para imaginar as consequências de nossos atos e nossas omissões, para compreender o que pode nos acontecer se não agirmos de outra maneira, para escapar da armadilha que criamos.

Desde que o filósofo alemão Karl Marx descreveu a tendência de substituição do trabalho vivo pelo morto feito por máquinas, vivemos o paradoxo da iminência de paraíso ou inferno. Se não humanizarmos de uma vez por todas a humanidade, tampouco

o conseguiremos com os robôs antes de se tornarem
sencientes. E então estaremos perdidos, pois eles serão tão desumanos quanto a maioria de nós — e muito
mais inteligentes.

Em 1950, Alan Turing propôs que o critério para
atribuir inteligência artificial a um computador é sua
capacidade de imitar respostas humanas sem que humanos desconfiem. Se os robôs passarem no teste de Turing
antes de passarmos no do amor, tudo estará perdido.

Chegou o momento de abraçarmos as mais subli-
mes tradições humanas: o amor e a responsabilidade.
O que se faz necessário não é uma mera reforma, mas
sim uma grande revolução intencionada com nossa
mais plena inteligência. Nas palavras da corajosa Greta Thunberg, "é preciso agir. Você deve fazer o impossível. Porque desistir nunca é uma opção".[4] Este não é
o momento adequado para recear mudanças rápidas.
Como alertou a filósofa e ativista estadunidense Angela Davis, "você tem que agir como se fosse possível
transformar radicalmente o mundo. E você tem que
fazer isso o tempo todo".[5] Temos muito trabalho pela
frente até desentortar nosso caminho.

Considere, por exemplo, a enormidade do fetichis-
mo em que estamos imersos. Dependendo da marca
que carrega, um objeto ou serviço pode ter um valor

de troca milhares de vezes maior do que o seu valor de uso. Pense no tênis caro da marca tal, na bolsa cara daquela grife. Pense nos salários dos jogadores de futebol mais famosos do mundo. Neymar recebe inacreditáveis 36 milhões de euros por ano, Lionel Messi alcança o dobro disso. Enquanto isso, professoras, faxineiras, cozinheiras, garis, pedreiros e camponeses mal ganham para viver.

É preciso desfetichizar as mercadorias e o trabalho, para que seus valores não sejam infinitamente distorcidos por nosso fascínio patológico pelas aparências. É preciso respeitar a qualidade do labor humano, qualquer que seja ele. Um pedreiro excelente merece tanta recompensa quanto um jogador de futebol excelente, uma médica excelente ou uma professora excelente. A manutenção do sistema de castas profissionais baseadas em salários distorcidos pelo fetiche da qualidade se escuda na suposta meritocracia de certas carreiras em detrimento de outras, sempre desvalorizando o trabalho braçal que os mais abastados jamais querem fazer.

Para os bilionários o recado é simples: ajam enquanto é tempo. Intencionem. Cuidem. Escutem Eliane Brum: "Cuidar é escutar a demanda da vida. É não tratar como morte o que é vida e como coisa o que é gente". Em 2010, o bilionário estadunidense Warren Buffett se juntou a seus colegas Bill e Melinda

Gates para convencer pessoas com patrimônios descomunais a doar, em vida, pelo menos metade de suas fortunas para projetos sociais,[6] como o combate à malária e à diarreia infantil. A terceira mulher mais endinheirada do mundo, a estadunidense MacKenzie Scott, aderiu ao projeto e já doou oito dos seus 60 bilhões de dólares.[7] Seu colega Chuck Feeney foi muito além, financiando inúmeros projetos educacionais nos Estados Unidos, em Cuba, na Irlanda e na Austrália, até conseguir doar ainda em vida quase toda a sua fortuna de 8 bilhões de dólares. Aos noventa anos, Feeney hoje vive com a esposa num modesto apartamento em San Francisco, mantendo os hábitos frugais que cultivou ao longo de toda a vida. Se a consciência planetária alcançar a ética do cuidado desse sábio casal, nossa linhagem terá futuro.

O que os ancestrais esperam ardentemente de nós, no plano espiritual real ou imaginário de onde nos observam, é intencionar com generosidade a revolução planetária. O que podemos fazer para honrar com a mesma verdade nossos ancestrais e nossos descendentes é construir um futuro que valha a pena ser vivido. É por isso que ecoam há quase um século e sem perder o vigor as palavras revolucionárias do poeta russo Vladímir Maiakóvski: "Por enquanto há escória de sobra./ O tempo é escasso — mãos à obra". Se você duvida de que o momento é agora, escute as palavras ainda mais antigas de W. E. B. Du Bois, célebre sociólogo, escritor e ativista afro-americano: "É hoje que nosso melhor trabalho pode ser feito, e não em qualquer outro dia ou ano futuro". A hora é esta.

Chegou o momento de reaprender a sonhar o bem comum para desenharmos o percurso de cura e desenvolvimento da experiência humana. O reaprendizado dessa arte exige mudanças práticas na rotina individual e coletiva. Sem saúde corporal, a mente adoece e o sonho padece. Sono insuficiente e sonhos fragmentados causam prejuízos cognitivos e disfunções emocionais. Por outro lado, a soneca logo após o aprendizado aumenta a duração das memórias e pode dobrar a velocidade de leitura durante o processo de alfabetização.[8] A escola precisa abraçar o sono, pois ele é a base do aprendizado.

Assim na escola como no lar, é preciso respeitar e proteger o sono de absolutamente tudo o que pode perturbá-lo, como telas, luzes, sons, temperatura, umidade e principalmente preocupações. Sobre a base do sono pleno se apoiam os dois pilares fundamentais da saúde, a alimentação e o exercício físico — desde que adequados em qualidade, quantidade e frequência. Sobre esses três fundamentos, cada um de nós constrói a relação com o próprio corpo e com a sociedade. Muito adoece quem come, dorme e se exercita mal.

Em seguida, é preciso reaprender a cultivar nosso amor pela narrativa de pessoa para pessoa. É inegável a riqueza dos estímulos audiovisuais, mas estes não podem sequestrar toda a nossa atenção enquanto a vida acontece cada vez mais em tempos e locais diferentes, desacoplada e descoincidente entre parentes, com uma tela entrementes, insones para sempre.[9]

Uma parte importante do problema é a guerra cultural baseada em fake news. Estudos sobre a difusão de compartilhamentos em redes sociais por milhões de pessoas mostram que as informações falsas têm muito mais probabilidade de serem disseminadas do que as verdadeiras.[10] Notícias verdadeiras também levam muito mais tempo para atingir as pessoas do que as falsas, que produzem cascatas de compartilhamento ininterrupto com uma profundidade bem maior do que matérias sobre fatos verificados. A Babel de mentiras que enfrentamos no século XXI parece ser mais um exemplo da armadilha evolutiva em que nos encontramos, pois as informações capazes de mobilizar ao máximo nossos sistemas cerebrais de atenção e recompensa, respectivamente ligados aos neurotransmissores noradrenalina e dopamina, são as mais exageradas, bizarras e mentirosas.

É importante compreender a inércia biológica

dessa armadilha evolutiva, mas isso não significa que possamos desanimar da necessidade de desarmá-la. Ao contrário, a compreensão dos mecanismos biológicos fortalece a necessidade de mudança cultural. Precisamos recuperar a capacidade ancestral de contar e imaginar histórias de viva voz e olhos reencontrados, sobre fatos vividos ou imaginados, com palavras faladas ou cantadas, acompanhadas de gestos e encadeadas com a produção consistente de sentidos harmônicos entre pessoas de carne e osso.[11] Com arte e imaginação, mas sem mentiras.

Foi contando histórias em torno do fogo que nossos ancestrais atravessaram inúmeras noites com medo da morte. A contação de histórias para crianças internadas em hospitais diminui suas percepções de dor e medo, com elevação dos níveis de ocitocina.[12] Precisamos reaprender a nos encantar cotidianamente na presença narrativa de nossos familiares e amigos mais queridos.

O passo seguinte é trazer para o círculo narrativo íntimo os relatos matinais dos sonhos da noite, assim reativando o dispositivo cultural ancestral da roda de sonho. O foco social na produção onírica cria possibilidades inesgotáveis de entrelaçamento dos desejos e medos individuais, tecendo o rumo grupal de modo a não deixar ninguém de fora. Praticando com dedicação o sono, o sonho e a narrativa, intencionando com profundidade as soluções de nossos problemas, escaparemos sonhando do esgarçamento social.

Perdemos contato com o sonho coletivo sagrado, que tantas vezes salvou nossos ancestrais da extinção. Enveredamos pelo caminho odioso da insônia e dos pesadelos individuais — e não estamos conseguindo entrelaçar nossos fios individuais para tramar um tecido social digno. Mesmo a psicanálise e outras psicoterapias da palavra, com sua enorme potência de reflexão, autonomia e cura,[13] se empobrecem nas limitações da terapia individual, culturalmente enviesada e quase sempre elitista.

Temos muita tecelagem a fazer. Precisamos apreciar a incrível oportunidade criada pela possibilidade de combinar livremente os mais diferentes elementos dos costumes e das tradições de todo o planeta. A interpenetração de culturas humanas, que começou há centenas de milhares de anos até culminar na atual explosão de experiências locais disponíveis para consumo global, é uma riqueza incalculável de possibilidades para a espécie. Há fios de todos os tipos que precisam ser entremeados em belos padrões originais, fios que no passado se destruíram uns aos outros, mas que hoje precisam ser combinados em diferentes cores, texturas e materiais para se cruzarem, se apoiarem e se ressaltarem mutuamente.

Entre pessoas com direitos e oportunidades iguais,

que se respeitam de fato, a curiosidade pelos costumes alheios é mais do que bem-vinda, é a própria receita do entusiasmo e do tesão. Temos em nosso cardápio cultural uma quantidade maravilhosa de pratos a escolher. Tanto na culinária quanto na literatura, tanto na música quanto nas vestimentas, é evidente que a riqueza de uns é a riqueza de todos. Sejamos generosos com nossos filhos e netos e encerremos de uma vez por todas a guerra que sempre existiu. Está no horizonte da experiência humana, como nunca esteve, alcançarmos um estado de respeito universal às vidas e culturas alheias.

Só que isso não significa que todos os pontos de vista são igualmente válidos. Toda ideia e toda ação, venham de quem vierem, precisam ser criticadas à luz do amor. Um bom começo é a Declaração Universal dos Direitos Humanos,[14] que exprime o mínimo necessário para um bom convívio planetário. Pense em como o mundo melhoraria se todos conseguissem aderir a apenas três dos dez mandamentos comunicados por Moisés aos judeus há cerca de 3500 anos: não mentir, não roubar e não matar.

O acervo cultural humano está em evolução o tempo todo, vai se modificando com todas as trocas realizadas. Precisamos passar para a fase da evolução consciente de nossas culturas, que precisam ser reunidas num rosário, como conchas de cauri atadas pelo fio da palmeira do babaçu. Compondo uma guirlanda de flores transculturais, precisamos nos reeducar para darmos conta de sermos plenamente terráqueos, verdadeiramente respeitosos com todos os seres sencientes.

Se uma determinada cultura tem um costume que envolve o sacrifício ou o sofrimento de animais, pode e deve ser reformada para ressignificar esse sacrifício. O consumo metafórico do sangue de Cristo na liturgia católica é um exemplo dessa ressignificação. Se você acha que essa reflexão é preconceituosa contra o povo Masai, que se alimenta do sangue dos bois, ou contra o candomblé, o *lucumí* ou qualquer outra religião que consagra animais em sacrifício, considere que a necessidade de reduzir o sofrimento animal se aplica em escala muito maior à pesquisa biomédica realizada em universidades e institutos de pesquisa científica.

Estima-se que 111 milhões de roedores sejam mortos todos os anos nos Estados Unidos em laboratórios de pesquisa, sendo quase metade deles submetidos a experimentos potencialmente dolorosos.[15] Em comparação com outros modelos animais utilizados em laboratórios, como gatos, coelhos, macacos, pássaros diamante-mandarim e peixes-zebra, os roedores são de longe os mais presentes na pesquisa biomédica. Há mais de um século, ratos e camundongos são reproduzidos em cativeiro com seleção estrita de linhagens genéticas, constituindo o modelo animal em que se descobriu a maior parte do que sabemos hoje sobre farmacologia, fisiologia e muitas outras disciplinas biomédicas.

A ciência hoje reconhece que o uso experimental de seres sencientes é indesejável, mas ainda se percebe longe de saber o suficiente sobre a vida animal para não precisar mais fazer pesquisas que invadam seus corpos e suas mentes.[16] Por reconhecer que o sofrimento animal é um problema ético importante, a ciência vem aderindo a protocolos cada vez mais rigorosos de redução de sofrimento.

Se um ajustamento de conduta da pesquisa biomédica em relação ao uso de animais vem acontecendo na direção de mais cuidado e mais compaixão, a gigantesca indústria de produção de carne e derivados não demonstra quase nenhuma empatia pelos animais usados como alimento. A cada ano, 50 bilhões de frangos, 1,5 bilhão de suínos, 500 milhões de ovinos, 440 milhões de caprinos e 300 milhões de bovinos, reproduzidos e mantidos em condições degradantes por toda a vida, são abatidos sem qualquer piedade, nem mesmo evitando que animais à espera da morte entrem em pânico ao testemunhar o abate de seus semelhantes. Nos mares, rios e lagos, a realidade não é menos assustadora. A cada ano, 109 milhões de toneladas de peixes são mortos sem nenhuma consideração por seu sofrimento,[17] com enorme desperdício e subnotificação.[18]

Enquanto nosso pequeno planeta azul viaja pelo espaço sideral, a soma total de dor em sua superfície aumenta como nunca antes, tracionada por um sistema capitalista que devora corpos humanos e não humanos num apetite cada vez mais insaciável. Se todos os seres que sofrem pudessem mugir, berrar e chorar ao mesmo tempo, seu desespero se transformaria num deprimente, longo e absolutamente horripilante gemido planetário.

Todas as tradições de vida e amor nos interessam e se entrelaçam na definição do que foi, é e será humano. Mas as tradições de opressão, seja de gênero, de raça, de classe ou de espécie, são roupas que já não vestem mais. O que pode nos redimir é a permanente inquietação antropológica capaz de inspirar uma insaciável curiosidade pelo diferente, mas também de compreender a necessidade de um mínimo denominador comum. Se você acredita que isso é arbitrário demais, considere a alternativa. Teríamos de conviver com execuções sumárias, escravidão, mutilação genital feminina e a queima da viúva no funeral do marido.

Precisamos firmar um acordo sobre o que é inaceitável e entender que o que ainda é aceitável hoje não será amanhã. Os movimentos LGBTQIA+ e o veganismo são exemplos bem nítidos desse processo em curso. Outro é a erradicação do uso de agrotóxicos na produção de alimentos. Precisamos de alianças entre pessoas diferentes, aproximando classes sociais, raças, povos, ideias e espécies num arranjo equilibrado, fértil e sinérgico.

Para frear as mudanças climáticas e permitir nossa adaptação a elas, precisaremos do capital hoje excessivamente acumulado em mãos de poucos. Precisaremos também de todo o saber científico distribuído pelas mentes de inúmeros pesquisadores. Mas não nos enganemos: nem a ciência, nem o capitalismo, sozinhos, têm a bússola moral necessária para guiar nossa jornada de redenção planetária. Precisaremos da orientação de pajés e caciques de profunda sabedoria ancestral para que os terráqueos mais fortes reaprendam a antiga arte de cuidar dos mais fracos. Só assim, reunindo todos os nossos saberes à luz das evidências mais sólidas e do amor mais genuíno, teremos chance de sobreviver ao Kali Yuga. A internet está despertando a consciência da espécie e precisa acordar também a consciência mamífera, vertebrada e multicelular se quisermos durar aqui. Só existe um jeito de darmos certo: em prazer coletivo de plenitude crescente, com cada vez menos dor para cada ser senciente.

7. BUSCAR A PLENITUDE DA MENTE INCORPORADA

A única forma de mitigar a solidão infinita da morte é alcançar uma existência prazerosa, tesa de criatividade e capaz de espalhar benefícios. A plenitude do bem-estar não está nas posses nem no poder, mas no amor e na contemplação tranquila do grande mistério da existência. A falta de introspecção da maior parte das pessoas, sobretudo no Ocidente, não faz jus aos milênios de acúmulo de conhecimento sobre o tema. Já passou da hora de as tradições e tecnologias de construção do prazer e da paz interior serem disponibilizadas para todas as pessoas. É preciso democratizar o acesso à plenitude da mente incorporada.

Vivemos em profunda negação da morte, tanto a nossa quanto a dos outros. Agimos como se nunca fôssemos morrer, e não nos deixamos tocar pelo medo da morte — e a dor que para lá nos leva — quando outros seres o manifestam. Examinemos com seriedade a lambança que fizemos na pandemia. Em lugar de nos defender como grupo usando toda a sabedoria e a ciência que temos, negamos o óbvio e conseguimos que a segunda onda fosse pior que a primeira.

Muita gente fez a coisa certa, mas isso foi insuficiente, pois, para que a estratégia realmente funcionasse bem, precisaríamos da participação de todos. Isso não é novo; foi assim desde a primeira pirâmide, a primeira cova, a primeira caçada, a primeira pedra. Precisamos uns dos outros desde o início da evolução humana e, ainda que possa parecer o contrário, precisaremos cada vez mais no futuro.

Há 300 mil anos, nossos ancestrais dependiam apenas de alguns familiares e amigos. Hoje, dependemos a todo momento de gente que está do outro lado do globo e que jamais conheceremos. Somos alienados por completo da vida de todas essas pessoas exceto pelo produto ou pelo serviço que fizeram e que consumimos. E se a maioria está em negação absoluta quanto à vida de quem as influencia dessa forma, chega-se à completa insensibilidade para com animais mortos e florestas devastadas.

Tudo isso exprime uma gigantesca falta de introspecção, um apego doentio aos prazeres obtidos pela aquisição de coisas — o tipo de prazer transitório e individual que não leva jamais a um aumento persistente da felicidade. Sabemos disso há muito tempo, como atestado pelo diálogo entre a divindade hindu Krishna e o príncipe Arjuna, no livro *Bhagavad Gita*.

Esse texto do século IV a.C., que presumivelmente se refere a um período muito mais antigo da história humana, na aurora da Idade do Bronze, coloca na boca de Krishna ensinamentos contundentes sobre a futilidade de buscar os prazeres materiais:

> Enredados nessa ilusão, passam eles a sua vida; pois impuro é o seu coração e obscurecida a sua mente. São a desgraça do mundo, pois impedem a paz e o progresso e promovem a ruína. Escravos de desejos insaciáveis, cheios de vaidade, hipocrisia e arrogância, cegados pelas aparências, amam a ilusão e vivem o avesso da verdade. Chamam verdade à mentira e gostam das ilusões que levam à morte; ignoram a realidade e sacrificam sobre o altar dos ídolos ao próprio ego nascido de miragens. Algemados por toda espécie de esperanças, luxúrias e violências, visam a um só escopo: acumular riquezas para satisfazer seus desejos sensuais. Falam assim: "Foi isto que consegui hoje, e é aquilo que conseguirei amanhã. Conquistei esta fortuna agora e espero conquistar outra no futuro. Derrotei este inimigo e hei de aniquilar outros. Eu sou o senhor do mundo, poderoso e feliz! A minha vontade é lei — tudo deve servir aos meus prazeres! Eu sou rico, sou de alta linhagem — quem pode medir-se comigo com elegância e bem-estar? A minha vida é uma delícia!". Assim falam esses insensatos.[1]

O foco na aquisição de objetos e a adoração do deus Dinheiro produzem doenças em toda parte, tanto entre os materialmente destituídos, obrigados a catar lixo e a esmolar, quanto entre os muito ricos, que nunca cessam de querer mais ganhos materiais, irremediavelmente viciados em dinheiro, imersos em invejas, desconfianças e números frios, muitas vezes entupidos de remédios e rancores enquanto a vida escorre por entre os dedos em triste narcisismo, solitário e desapiedado.

O culto ao deus Dinheiro fica evidente num relato atribuído em 1920 a um chefe samoano chamado Tuiávii, que expõe duramente o homem em sua patética e supostamente lógica forma de viver:

> Pois o metal redondo e o papel pesado, que eles chamam dinheiro, é que são a verdadeira divindade dos Brancos. Fale a um Europeu do Deus do amor: ele torce o rosto, sorri. Sorri da simplicidade com que pensas. Estenda-lhe, no entanto, um pedaço redondo, brilhante, de metal, ou um papel grande, pesado: sem tardar, seus olhos brilham, muita saliva lhe vem aos lábios. O dinheiro é o objeto do seu amor, é a sua divindade. Todos os Brancos pensam nele, até dormindo.[2]

A adoração do deus Dinheiro e os comportamentos de acumulação que nele se apoiam estão perto de nos extinguir. Vejamos o que nos diz Davi Kopenawa sobre isso: "O dinheiro não nos protege, não enche o estômago, não faz nossa alegria. Para os brancos, é diferente. Eles não sabem sonhar com os espíritos como nós".[3] O venerável sábio explica pacientemente que nossas mazelas vêm do empobrecimento e do esquecimento do sonho: "Quando [os brancos] dormem, só veem no sonho o que os cerca durante o dia. Eles não sabem sonhar de verdade".[4] O desaprendizado do sonho e a adoração do deus Dinheiro fazem com que percamos completamente o respeito pelo que é mais sagrado: as pessoas, os seres vivos e o próprio planeta. Se o processo não for revertido, tudo será retalhado e destroçado até que não sobre mais nada de bom na Terra.

Para a maior parte das pessoas do planeta, a vida é atravessada em bruta desconexão com o próprio corpo e a própria mente. O sedentarismo que acomete quase metade da população mundial[5] atrofia a coordenação motora, consome o vigor cardiovascular e acaba por extinguir a fome de viver. Atrofias de outra natureza decorrem dos entraves à livre expressão de emoções, ideias e desejos. O medo de dançar, rir e brincar nos afasta da plenitude. A solidão é o contrário da humanidade.

Já passou da hora de despertarmos coletivamente, mas esse despertar é sobretudo interior. Graças a nossas avós e nossos avôs ancestrais, existem muitos caminhos excelentes ao nosso dispor. As milenares práticas da Ioga na Índia e no Tibete usam exercícios de respiração, alongamento, postura e meditação para aumentar o grau de consciência emocional e corporal, inclusive de órgãos internos.[6] A circularidade da relação entre atividade cerebral e respiração[7] talvez seja vital para os benefícios atribuídos a essas práticas.[8]

Efeitos semelhantes são obtidos na versão chinesa da Ioga, o Chi Kung, que significa "trabalho com a energia". Na prática Chi Kung chamada "Os cinco animais de Wuhan", cinco posturas e exercícios respiratórios realizados em sequência são acoplados respectivamente à fabulação de cinco animais, à evocação de cinco estados psicológicos e à imaginação de cinco órgãos internos. A postura do dragão deve ser realizada com a sensação do medo e a visualização do fluxo energético na região dos rins. A postura do tigre deve ser realizada com a evocação da tristeza e do fluxo energético pulmonar. A postura da pantera corresponde à emoção da raiva e ao foco imaginativo no fígado. A postura da serpente deve ser feita evocando a capacidade de raciocinar — digerir problemas — com foco na região estomacal-biliar. Por fim, a postura da garça deve ser realizada com a evocação da alegria enquanto se imagina o fluxo energético do coração.

Essa sequência de movimentos associados aos cinco animais pode ser vista como uma cadeia natural de eventos de reação à predação. Quando uma presa é atacada e precisa reagir para sobreviver, primeiro vem o medo de sofrer o ataque, depois a tristeza por isso ter de fato acontecido, logo após a raiva que impulsiona uma reação violenta, seguida pelo raciocínio necessário para debelar problemas e, por fim, pela alegria de voar por cima dos conflitos.

Imaginar a mente dos animais, projetar neles a própria mente ou vice-versa, é um exercício ancestral de expansão de consciência.[9] A mistura com distintas espécies animais está presente desde as pinturas rupestres do Paleolítico Superior até o totemismo ameríndio, os panteões egípcio e hindu — e os mascotes de futebol. De jaguar, leão, bisão, águia, porco e urubu os humanos entendem — e têm um pouco.

Em nossa transição de bicho para gente, começamos a reconhecer estados de consciência distintos. O upanixade *Mandukya*, um texto védico de no mínimo dois milênios atrás, afirma que somos capazes de experimentar quatro estados mentais primordiais.[10] A sucessão regular experimentada todos os dias é a vigília (*jagrat*), o sono profundo (*sushupti*) e o sonho (*svapna*). Existiria ainda um quarto, *turiya*, que é entendido como consciência pura, uma experiência não dual com o infinito.

Outras culturas têm menos contato com *turiya*, mas provavelmente esse é o mesmo estado de consciência que é almejado em inúmeras práticas introspectivas, com ou sem expressão corporal, seja nas artes marciais, nas vivências monásticas, no transe rotatório sufi, na acupuntura chinesa ou no uso do rapé *yãkoana* pelos xamãs yanomamis.

O caminho para chegar a *turiya* pode ser bem tortuoso. Jetsün Milarepa, um célebre iogue tibetano que viveu há cerca de mil anos, deixou um relato valioso de sua iluminação após uma longa trajetória de frustração, ódio e superação. Segundo a tradição, Milarepa nasceu numa família endinheirada, mas após a morte precoce do pai foi destituído da herança pelos outros parentes. Instigado pela mãe, ainda criança Milarepa jurou vingança e se lançou numa jornada solitária para aprender artes mágicas letais.

O jovem cresceu e conseguiu assassinar seus inimigos, mas depois constatou que a vingança não lhe trouxera nenhuma paz interior. Arrependeu-se de seus atos violentos e buscou no budismo a purificação de seu carma, tornando-se discípulo do mestre Marpa Lotsawa, em Lhodrak, no sul do Tibete. Mestre Marpa foi um grande sábio e iogue que se notabilizou por longas viagens para treinamento na Índia e no Nepal e pela tradução de obras fundamentais do budismo. Para iniciar a cura de Milarepa, mestre Marpa primeiro lhe pediu que construísse com as próprias mãos uma torre de pedra de três andares.

Concluída a torre, o mestre pediu ao discípulo que a destruísse com as próprias mãos. Milarepa realizou o pedido sem hesitar. Algum tempo depois, o mestre solicitou novamente a construção de uma torre de três andares — e quando a tarefa foi completada, pediu mais uma vez a destruição da obra. De novo, Milarepa trabalhou sem reclamar. Passado algum tempo, o processo se repetiu sem qualquer oposição de Milarepa, que permaneceu firme em seu propósito de obedecer ao mestre. Por fim, este ordenou a construção de uma torre de nove andares, que foi erguida com grande esmero e segue de pé até hoje, no mosteiro Sekhar Gutok de Lhodrak.

A capacidade de construir obras em benefício do bem-estar humano é tão fundamental quanto o poder de queimar no fogo da consciência as memórias que só causam dor e tristeza. A purificação pelo fogo de atos e pensamentos é um tema recorrente na cultura humana, seja durante a festa persa Noruz, que marca o equinócio da primavera em vastas porções da Ásia Central, seja durante as cerimônias védicas Yajña, em que sementes são oferecidas às chamas sagradas junto com a pronúncia do mantra "svaha", que pode ser entendido como "assim seja", para queimar carmas a cada punhado de sementes ofertadas com alegria. Salta à vista a semelhança com a linda saudação ao avô fogo, que abre diversos rituais xamânicos ameríndios e tem sua raiz na divindade Tatewari do povo huichol, na região de San Luis Potosí, no México — que teria trazido ao ser humano a capacidade de fazer e usar o fogo.

Não temos como estimar o enorme número de vezes que nossas tataravós e nossos tataravôs precisaram superar velhas rusgas e reacender o fogo da confiança para poderem voltar a cooperar, durante a longuíssima aurora da humanidade. Sociedades sem mecanismos de esclarecimento da verdade, de perdão e de construção de alianças, tanto interna quanto externamente, tendem a durar pouco.

As torres erigidas por Milarepa representam, entre tantos sentidos possíveis, a capacidade de construir e desconstruir os edifícios de memórias responsáveis pela dinâmica fundamental do carma: a lei de ação e reação que une as pessoas e os eventos numa cadeia incessante de causas e consequências. Quando terminou de construir a terceira torre, Milarepa se libertou de seu carma violento e iniciou um longo percurso de aprendizado de Ioga entre as planícies da Índia e as alturas do Himalaia. Escalou os mais de 6 mil metros do monte Kailash e se dedicou a práticas cada vez mais rigorosas de privações e meditação, em busca da iluminação.

De olhos abertos, em movimento, o engajamento

da percepção e da ação no mundo em constante mutação faz o tempo passar mais rápido. Já a meditação de olhos fechados, assim como a contemplação de olhos abertos de uma cena estática, faz o tempo passar devagar e até mesmo se dissolver. Passaram-se muitos anos de peregrinação e austeridades até que um dia Milarepa percebeu que era necessário se moderar nas privações e até mesmo na meditação.

E foi nesse exato momento que ele se iluminou: "Finalmente, seu único pote de barro quebrou, trazendo à clareza absoluta os ensinamentos budistas sobre a impermanência de todos os fenômenos. Milarepa passou por um despertar completo do sonho egoico para a realização perfeita da Consciência da Clara Luz e suas capacidades interdimensionais ilimitadas".[11]

Em muitas tradições diferentes, habitar tal consciência da Clara Luz, ou Clara Luz do Vazio, ou *turiya*, é o ponto de chegada, a parada derradeira no desenvolvimento espiritual, propiciado por muita meditação, jejum e silêncio. Na verdade, existem inúmeros modos de saborear esse estado, mas permanecer nele é quase impossível para a maior parte das pessoas. *Turiya* pode ser experimentada de modo transitório e inesperado em imersões sensoriais na natureza, durante um exercício físico extenuante ou com a contemplação filosófica da vida. Não por coincidência, os esportes radicais favorecem a combinação desses três elementos.

Experiências tão significativas quanto podem ocorrer após a ingestão de maconha ou psicodélicos oriundos de plantas, fungos e animais de poder, tradições xamânicas capazes de abrir caminhos[12] e curar doenças. No século XX, a ciência investigou essas substâncias por meio de purificação e síntese química, experimentos psicológicos, imageamento do cérebro[13] e contato com os saberes de povos originários. Infelizmente, a demonização e a proibição dessas drogas, assim como a guerra travada contra seus usuários, atrasaram em várias décadas a pesquisa sobre seus efeitos e suas utilidades.

Hoje sabemos que as centenas de moléculas contidas na maconha — canabinoides, terpenos e flavonoides — apresentam fortes efeitos anti-inflamatórios, analgésicos, ansiolíticos, antipiréticos, antieméticos, antiepilépticos e antitumorais,[14] sobretudo quando potencializados pela combinação química em proporções específicas. Tais combinações refletem a própria diversidade genética das plantas do gênero *Cannabis*, fazendo dele uma farmacopeia inteira,[15] com indicações tão amplas quanto epilepsia, dores neuropáticas, ansiedade, câncer, autismo, mal de Parkinson, doença de Alzheimer, doença de Crohn, síndrome de Tourette, entre outras.

A medicina do futuro é ancestral, pois resgata práticas e organismos de uso tradicional há inúmeras gerações. Isso vale para a *Cannabis sativa*, os cogumelos do gênero *Psilocybe*, os cactos san pedro e peiote, a folha da chacrona, o cipó-jagube, a casca da jurema-preta ou a secreção do sapo *Bufo alvarius*. Esse resgate acontece paralelamente à vigorosa invenção de novas substâncias, como o LSD e o MDMA sintetizados em laboratório. A pesquisa biomédica dos últimos anos mostrou que essas substâncias induzem a produção de novos neurônios e novas conexões entre eles.[16] Tais efeitos celulares são hoje a principal hipótese para explicar os efeitos psicológicos dessas substâncias, como o aumento da criatividade,[17] a facilitação do aprendizado[18] e o tratamento eficaz de males como a depressão[19] e o transtorno do estresse pós-traumático,[20] em conjunto com protocolos de psicoterapia. Também parecem explicar os efeitos neurorregenerativos que podem vir a beneficiar pessoas acometidas de doenças neurodegenerativas como o mal de Alzheimer e traumas encefálicos.

A abertura das portas da percepção possibilitada pelo uso adequado dessas substâncias — para além de excessos na dosagem, da qualidade duvidosa dos produtos oferecidos no mercado ilegal, do risco para adolescentes e para pessoas com propensão à psicose — permite trilhar o caminho da progressiva dissolução do ego, um percurso muitas vezes desafiador e quase sempre delicioso de trajetórias mentais distintas entre si, mas umbilicalmente ligadas pela semelhança das moléculas envolvidas com o neurotransmissor serotonina. Em doses altas o bastante, essas substâncias nos permitem ultrapassar o frêmito da arrebentação e alcançar de forma transitória o mar alto da *turiya*, na qual o tempo cessa, o ego desaparece e a consciência individual se expande e, afinal, explode até se igualar ao próprio cosmos.

Se você nunca experimentou nada parecido com isso, saiba que esse estado representa uma das experiências mais belas e prazerosas que qualquer pessoa pode saborear nesta vida. Todo o prazer depositado na aquisição de objetos, poder, atenção e a maior de todas as taras — o dinheiro —, todo o prazer possível nos estados cerebrais dominados pelo neurotransmissor dopamina, que determinam a perspectiva da dualidade, da competição, da dinâmica presa-predador, do ideal aquisitivo que embasa a sociedade de consumo, tudo isso não é mais do que um pequenino grão de areia perto do gozo alcançado pelos estados cerebrais dominados pelo neurotransmissor serotonina, caracterizados por plêiades de criaturas mentais, galáxias de emoções, profundezas da consciência e pacificação de toda a dor, que se alcança quando a dualidade cessa e tudo é novamente UM.

* * *

Na volta dessa viagem ao centro de tudo para retroceder ao ego, a praia aonde em geral se chega é a da cura pela criatividade, pela psicoterapia e pelo contato íntimo com a natureza.[21] Pela produção de imagens, palavras, sons, movimentos e outras expressões do inconsciente, fica mais fácil existir na própria mente. Caminhos são descobertos, vínculos — consigo e com as faunas de dentro e de fora — são construídos. É notável como a criatividade acende a felicidade humana. Nas palavras do psicólogo suíço Carl Jung, "o processo criativo [...] consiste na ativação inconsciente de uma imagem arquetípica e na elaboração e modelagem dessa imagem na obra acabada. Ao dar-lhe forma, o artista a traduz para a linguagem do presente, e assim torna possível encontrar o caminho de volta às fontes mais profundas da vida".[22] Mais do que a obra criada, o que importa mesmo é criar.[23]

As maravilhosas mandalas de areia colorida feitas pelos monges do Tibete são trabalhos criativos que, depois de prontos, são apagados sem remorso como um exercício de desapego, simbolizando a impermanência da vida e a preponderância do criativo. A maravilhosa mestra cirandeira Lia de Itamaracá relata: "Minhas músicas [são inspiradas] na onda do mar. Eu vou para escrever minhas letras na onda do mar, na praia, a onda vem e apaga, e eu acendo, e a onda vem e apaga, e eu acendo até... quando ela vai que volta, a música está pronta".[24]

Outra forma de acessar *turiya* é o sexo, quando praticado com essa intenção, fazendo uso de uma criatividade e de uma técnica específica: o sexo tântrico acontece quando parceiros plenamente dedicados ao tempo presente e ao retardamento do gozo buscam prolongar o prazer ao máximo, realizando carícias livres em todo o corpo, mas evitando a ejaculação masculina. A sustentação dessa prática por horas acaba levando a múltiplos orgasmos em cascata, que vão muito além do prazer genital e explodem afinal numa miríade de sensações bastante parecidas com as induzidas por psicodélicos ou meditação. Nas palavras do médico e psicanalista austríaco Wilhelm Reich, "o gozo no ato sexual deve corresponder à excitação que leva a ele [...]. Não apenas para foder, não o abraço em si, não o intercurso sexual. É a verdadeira experiência emocional da perda do seu ego, de todo o seu eu espiritual".[25]

Outra via importante de acesso a *turiya* são os sonhos, em especial quando são lúcidos, isto é, quando a pessoa se torna consciente de que está sonhando e pode influenciar o enredo onírico. Na Índia, praticantes de Ioga *nidra* aprendem a construir seus enredos oníricos através do treinamento em tarefas mentais progressivamente mais difíceis. No Tibete, um treinamento semelhante é vivenciado por monges dedicados à Ioga *milam*. O primeiro passo é reconhecer que o sonho está ocorrendo, a partir de um treinamento mental capaz de duvidar das aparências para investigar a essência do fenômeno mental. Esse aprendizado permite dar o segundo passo, que consiste em controlar e, depois, perder o medo das criaturas da mente que habitam o sonho, mesmo que tenham uma aparência inicial assustadora. Dominado o medo, o praticante passa então a treinar o terceiro passo, que consiste em compreender que as imagens oníricas não são reais e, portanto, podem ser alteradas.

Alcançada essa compreensão, o praticante se encontra preparado para o quarto passo, que é fundamental para o desenvolvimento da técnica: aprender a controlar a forma, o peso e o tamanho dos objetos mentais. A partir desse momento, descobre que nada é impossível para a imaginação. Os aprendizados seguintes incluem a construção de cenas inteiras, a modificação do próprio corpo sonhado, a realização de viagens espaciais e astrais, os sonhos em terceira pessoa e, por fim, na última etapa, a fusão com a "divina luz do vazio", para experimentar em sonho o estado mental dos budas despertados: o samadhi.

A expansão da consciência planetária será um profundo cair em si para cada pessoa, uma modificação local que se globalizará pela capacidade de focar no prazer da totalidade dos seres sencientes, humanos e não humanos. Nas palavras do micologista estadunidense Paul Stamets,

> um conceito básico da evolução é que os mais fortes e mais aptos sobrevivem através da seleção natural. Entretanto, além disso, as comunidades sobrevivem melhor do que o indivíduo. A comunidade depende da cooperação, e eu acho que esse é o poder da bondade. A evolução é baseada no conceito de benefício mútuo e na oferta de generosidade. Precisamos mudar o paradigma da nossa consciência. Como alcançar isso?

O verdadeiro prazer não vem das coisas, mas das experiências individuais e compartilhadas. Não é por outra razão que Ioga, meditação, sonhos lúcidos, sexo tântrico e psicodélicos estejam na moda entre aquelas pessoas materialmente ricas que já entenderam que o dinheiro não salva ninguém do desespero existencial. O afrouxamento do controle egoico da mente, propiciado por todas essas práticas, permite cultivar e deixar prevalecer a empatia com as outras criaturas representadas em nossas mentes. Isso favorece a construção de uma aliança amorosa com todos os seres sencientes que vivem fora de nós, formando uma comunidade rizomática, resiliente e acolhedora.

As perdas são uma certeza na vida; nenhum ser vivo escapa delas. A desgraça sempre chega, inexoravelmente. Enquanto isso, o melhor é estar com a graça. Aquietar a mente é fundamental, pois quando abrimos os olhos despertamos para um mundo de dor e crueldade que precisa ser transformado. O contentamento pela interiorização e a aceitação da responsabilidade de sonhar e construir o bem comum são a meta nesse bólido voador que serve de hospício para 7,9 bilhões de macacos que sofrem por falta de dinheiro, tempo e amor.

O dinheiro é uma crença, o tempo é uma dádiva e o amor é a bússola.

8. CONSTRUIR O CAMINHO

A construção de uma sociedade planetária que alcance o bem-estar geral é a missão mais importante que cabe às gerações vivas hoje. Muitas pessoas reagem a essa proposta com ceticismo, cinismo e desânimo. Afinal, a brutalidade e a perversidade são a maior marca da civilização humana, a engrenagem terrível capaz de produzir gigantescas somas de dor sem nenhuma redenção prazerosa para a maioria dos sofredores. Segundo a tradição hindu, o período Kali Yuga de ódio, mentira, intolerância e doença começou há 5122 anos e vai durar até 428 899 d.C.

Definitivamente não temos todo esse tempo. Sem dúvida não temos nem quarenta anos para corrigir nosso rumo climático, e o iminente holocausto nuclear que nos ameaça desde a Guerra Fria permite recear que não tenhamos nem mais quatro anos, quatro meses, quatro dias, quatro horas, quatro minutos, quatro segundos... Basta de insanidade. Precisamos romper de uma vez por todas com essa tradição maldita e encerrar definitivamente o Kali Yuga neste início de século XXI.

O sonho de uma Nova Terra, em que o sofrimento seja minimizado e o prazer seja maximizado, foi manifestado inúmeras vezes na história humana. Na visão do escritor russo Fiódor Dostoiévski, "aquela era a Terra, a Terra não manchada pelo pecado original, na qual viviam homens que não tinham pecado e viviam num Paraíso [...] pareciam saber de tudo, e só ansiavam por afugentar, o mais depressa possível do meu rosto, todo vestígio de dor".[1] A construção da Nova Terra pode soar apenas uma utopia ingênua para quem conhece um pouco de história, economia e política. Para todas as pessoas cansadas de se frustrarem com a expectativa de evolução da consciência, a lógica predatória do capital é um muro inexpugnável que nega nossa possibilidade de evolução. Para quem conhece um pouco da vida, quem já acredita ter entendido a máquina do mundo e já perdeu todas as ilusões no espírito humano, a decadência parece inevitável.

E ainda assim, a contrapelo de toda a desesperança, a despeito de todos os erros do passado e do presente, apesar de toda a inércia de nossa brutalidade ancestral, com doses iguais de razão e amor, como a flor de bromélia que cresce entre as ranhuras das pedras, é preciso insistir na expansão da consciência humana pelos espaços estreitos do futuro, nas ranhuras do possível, nas brechas das interdições.

No mito hindu de Nrisimhadeva, o homem-leão avatar do deus Vixnu só foi capaz de vencer o mal porque soube encontrar as brechas na série de proibições que protegiam o rei demônio. Nrisimhadeva conseguiu destruí-lo porque não era nem humano, nem animal, nem deus; porque agiu durante o alvorecer, e não de dia ou de noite; porque o atacou sobre sua coxa, e não na terra, no espaço, no fogo ou na água; porque agiu na entrada do palácio, e não dentro ou fora dele; e porque usou apenas suas garras, e não qualquer tipo de arma.

A superação habilidosa de todas as proibições que protegiam o rei demônio simboliza a necessidade de encontrar o possível dentro do impossível — e, assim, fazer o que é certo perante a coletividade. Se queremos salvar a presença humana no planeta, precisamos achar as brechas entre as impossibilidades que hoje parecem nos condenar à extinção. E estas são sempre a expressão de uma história de acumulação de recursos e opressão.

Esse processo desequilibrado e descontrolado chega agora a um clímax explosivo. Para que um bilionário exista, multidões cada vez maiores precisam sofrer sempre mais. Para que as pessoas continuem a comer carne, grupos muito mais numerosos de seres sencientes experimentam confinamento, dor e horror. Os predadores não conseguem escapar da lógica da predação. Acreditam do fundo do coração que "o destino do forte é predar o fraco, pois sempre foi assim e sempre será". Por milhões de anos, o problema de nossos ancestrais foi a escassez de bens materiais e imateriais. Agora, nossa questão é a abundância excessivamente concentrada de ambos. A concentração de riqueza material e cultural não é a solução, e sim o fim da linha para a nossa espécie.

Romperemos essa inércia evolutiva para que o prazer vença a dor e se expanda de forma incessante, não apenas entre seres humanos, mas entre os outros seres sencientes. Aproveitaremos as potencialidades da existência transitória nesse corpo tão repleto de criaturas da mente, tão improvável e maravilhoso, fruto de infinitos acasos: cada uma e cada um de nós. Se estamos no video game de Vixnu, só passaremos de fase se formos capazes de desenvolver uma consciência amorosa e planetária, uma nova forma de organização humana que responda coletivamente à forte pressão de seleção que a pandemia representa, uma nova sociedade que dedique as impressionantes capacidades afetivas e cognitivas dos seres humanos a investigar, contemplar, gozar e tentar compreender a natureza do jogo cósmico.

Se tudo parece ruína, é porque ainda estamos em

construção. Para sonhar o futuro do planeta é crucial dimensionar quão longo e tortuoso foi o caminho percorrido por nossos ancestrais até chegarmos aqui. É preciso saber de onde viemos para planejar nosso percurso futuro, e é preciso saber aonde queremos chegar. Nas palavras da filósofa negra Katiúscia Ribeiro: "Entender quem nós fomos nos ajuda a entender quem queremos ser". Só assim poderemos compreender que tudo é possível para nossa ação colaborativa.

Somos seres movidos por crenças,[2] que por sua vez são construídas por narrativas. É necessário reconstituir a narrativa completa de nossa ancestralidade para compreendermos quais são as nossas potencialidades. A historiadora e antropóloga Lilia Schwarcz lembra que a "história não é bula de remédio nem produz efeitos rápidos de curta ou longa duração. Ajuda, porém, a tirar do véu do espanto e a produzir uma discussão mais crítica sobre nosso passado, nosso presente e sonho de futuro".[3] Essa reconstituição crítica decorre das surpresas, das tensões e dos atritos causados pelas descobertas feitas na história, na antropologia, na arqueologia, na psicologia, na ecologia, na paleontologia e na genética de populações, entre outros saberes que convergem para a noção de que não existe raiz humana, mas sim um gigantesco rizoma de entrecruzamentos de genes e ideias. Nossos ancestrais sapiens conviveram com várias outras espécies de humanos — neandertais e denisovanos, entre outros —, com as quais competiram, mas também acasalaram. A globalização que começou há milênios e hoje conecta pessoas desconhecidas a todo instante aprofunda cada vez mais a troca entre diferentes. Somos híbridos genéticos e culturais, misturados e remisturados desde sempre.

A multilateralidade da experiência humana impede, portanto, que qualquer narrativa isoladamente possa fazer sentido para todos, pois o sentido e o valor das coisas são sempre relacionais. Precisaremos de um alinhamento sem precedentes entre os desiguais — para diminuir as diferenças que nos conspurcam e para preservar as que nos enriquecem. Será preciso construir um grande pacto entre classes, gêneros, raças e religiões, até que finalmente cheguemos a uma nova aliança entre espécies. Precisaremos ocupar o espaço invisível entre os opostos, transcendendo os antagonismos em busca de algo que possa nos curar e unir.[4]

Para que isso ocorra, será necessário romper definitivamente com muitas práticas antigas, ao mesmo tempo que teremos de resgatar outras já quase esquecidas. O passado precisa ser examinado e cultivado de forma seletiva, pois junto com suas pérolas luminosas vêm também atrocidades inomináveis das quais não podemos nunca nos esquecer, mas que já não podemos mais aceitar entre nós. Vivemos uma grande transição de fase na consciência, em que começamos a superar a inércia evolutiva dos comportamentos de opressão para nos irmanarmos em verdadeira fraternidade universal.

Acontece, porém, que a consciência individual segue evoluindo — e já não aceita mais ser apenas uma parte da engrenagem. As coisas estão mudando rapidamente. Contar e perenizar histórias é algo que quase sempre coube aos vencedores na luta da vida. Hoje, entretanto, quase todas e todos podem ter sua história narrada em tempo real nas redes sociais, criando uma pressão gigantesca por uma distribuição mais equitativa do protagonismo social. A redução da letalidade policial e dos abusos de poder após a implementação de uso obrigatório de câmeras nos uniformes é um bom exemplo das transformações positivas provocadas pelo aumento da consciência coletiva.[5]

A invisibilização dos mais fracos, o desaparecimento simbólico e mesmo físico das presas, de forma a apagar a culpa dos predadores, torna-se cada vez menos possível.

Quando a polícia de Mianmar massacra centenas de civis nos protestos políticos contra o governo; quando a polícia brasileira comete chacinas numa das tantas favelas do país, do Jacarezinho no Rio de Janeiro a Tabatinga na junção entre Brasil, Peru e Colômbia; quando a polícia dos Estados Unidos sufoca por minutos até matar em plena luz do dia um corpulento mas indefeso homem negro, pai de uma menina de seis anos, por causa de um pedaço de papel encardido chamado dinheiro, todo o planeta conectado pela internet pode agora testemunhar, todos os dias, incessantemente, um pouco do horror cometido a cada instante neste minúsculo planeta da Via Láctea.

A ampla difusão digital de abusos e crimes, mesmo muitas décadas depois de sua ocorrência, têm levado a fatos inéditos, como o reconhecimento, pelo governo alemão, do genocídio praticado por tropas militares entre 1904 e 1908 na Namíbia, contra dezenas de milhares de pessoas do povo herero, dizimando 75% de sua população. Da mesma forma, o governo francês começa a assumir sua parcela de responsabilidade pelo genocídio perpetrado em 1994 por pessoas da etnia hutu em Ruanda, que levou em poucos dias à morte de 800 mil pessoas das etnias tútsi, twa e até mesmo hutu.[6] Se Jesus Cristo fosse crucificado hoje, veríamos seu sangue pingar nas telas dos celulares — e haveria pessoas contra e a favor.

Viemos até aqui aos trancos e barrancos, evoluindo às cegas uma consciência contraditória e confusa, cheia de amor e cuidado, mas marcada pela violência, pela exclusão e pela negação do outro. É hora de abandonar os comportamentos predatórios nefastos e adotar uma mudança estratégica de perspectiva. Chegou a hora de navegarmos com consciência o nosso futuro.

Felizmente, nossa capacidade coletiva de correção de rumos tem um poder incrível. O alinhamento de cidadãos e governos nacionais ao saber científico e ao bom senso ancestral tem efeitos muito poderosos. Os habitantes de Beijing, por exemplo, organizaram protestos contra as minas e usinas de carvão que tornaram a cidade uma das mais poluídas do mundo. Sua mobilização conseguiu provocar um ajuste de conduta em empresas e pessoas, reduzindo a poluição em quase 80% desde 2015. Em poucos anos, o céu da megalópole de 21 milhões de pessoas, antes sempre opaco e tóxico, voltou a ser azul.[7]

Mudanças sociais positivas podem ser alcançadas em pouco tempo quando a lucidez política encontra mecanismos eficazes. A francesa Esther Duflo, o indiano Abhijit Banerjee e o estadunidense Michael Kremer receberam o prêmio Nobel de economia em 2019 por demonstrarem de modo convincente que programas de incentivos econômicos bem planejados podem melhorar a educação e a saúde infantil em países como Índia ou Quênia. Políticas públicas baseadas em incentivos econômicos eficazes são uma peça fundamental na construção da Nova Terra.

Outra peça fundamental é a efetiva taxação das

fortunas materiais. Em todo o planeta, quem realmente paga uma fração considerável da própria renda em impostos são as pessoas de classe média ou materialmente pobres. É notório que bilionários como Jeff Bezos e Elon Musk escapam do pagamento de impostos, pois concentram suas riquezas em ações de empresas e outros investimentos pouco ou nada tributados por inúmeros países.[8] Assim, quem mais se beneficia da sociedade para enriquecer é justamente quem menos contribui para seu melhoramento. A solução, apontada de forma contundente pelo economista francês Thomas Piketty, é um imposto global e progressivo sobre todo o capital,[9] em qualquer forma que se apresente. Os argumentos utilizados pelos bilionários para se opor a isso muitas vezes invocam a ineficiência e a corrupção dos governos que recolhem impostos, mas não consta que esses críticos destinem para a filantropia recursos equivalentes aos impostos que deveriam recolher. É por isso que o ex-presidente Lula defende "colocar o pobre no orçamento e o rico, no imposto de renda".

Não há tempo a perder. Chegou o momento de alinhar e unir as pessoas mais poderosas às mais sábias: professoras e professores de todas as disciplinas, pajés e xamãs de todas as tradições, cientistas de todas as linhas de pesquisa, mestres e mestres de saber popular, artistas de todas as vertentes, inventores de todas as áreas.

Todas, exceto as que neguem o prazer de viver.

Chegou o momento do grande encontro para compreender e fazer florescer nosso planeta como um maravilhoso jardim, com o aumento progressivo da diversidade biocultural e a redução gradual da superpopulação humana nos próximos séculos, numa transformação planejada para erradicar a pobreza material e intelectual pela criação de condições para que todas as pessoas do planeta possam se desenvolver plenamente. Esse paraíso está em nosso horizonte de futuros possíveis e construí-lo é nosso dever imperativo.

É fundamental que o conhecimento produzido pelos especialistas de todas as áreas seja verdadeiramente partilhado por cada um de nossos 7,9 bilhões de irmãos e irmãs. É impossível almejar a transformação planetária sem uma melhoria sem precedentes da formação cultural. Hoje, a maior parte das pessoas está distante da totalidade do conhecimento humano, pois acredita-se que só é preciso saber alguma coisa bem específica, que define uma profissão. Estamos tão enfermos que nos custa perceber os principais sintomas do desequilíbrio.

Mais uma vez é pedagógico enxergar, pela perspectiva do chefe samoano, o homem branco que ele chama de Papalagui:

É difícil dizer o que é profissão, mas todo Papalagui tem uma. É uma coisa que se deve ter muita alegria ao fazer, mas raramente isto acontece. Ter uma profissão significa fazer sempre a mesma coisa, uma só coisa [...]. Nem o chefe mais importante, que tem a cabeça cheia de sabedoria e o braço cheio de força, é capaz de enrolar e pendurar a sua esteira, de lavar os seus pratos [...]. Ter profissão quer dizer: saber apenas correr, ou apenas provar, ou apenas cheirar, ou apenas lutar; em todos os casos, saber apenas uma coisa. Esse saber-fazer-uma-coisa é uma grande fraqueza e um grande perigo porque qualquer um pode se ver, um dia, obrigado a remar numa canoa.

O encaixotamento das pessoas vale para a catadora de papel, para o oftalmologista e para a investidora na bolsa de valores. A superespecialização profissional é levada ao extremo no modo de produção industrial, em que cada indivíduo cuida apenas de uma tarefa, como ridicularizado por Charles Chaplin em *Tempos modernos*. Isso colide com a ânsia de liberdade e novidade dos seres humanos. Reduzir a própria perspectiva a uma mera atividade profissional não faz jus ao surgimento incessante de coisas novas a serem aprendidas, ao acúmulo cultural cada vez mais rápido e à enorme expansão das diferentes formas de conhecimento. O caminho para o futuro é aprendermos mais e melhor.

9. APRENDER A APRENDER

O montante de saberes acumulados em nosso planeta vai hoje muitíssimo além daquilo que é ensinado nas escolas. Albert Einstein desbancou a teoria gravitacional de Isaac Newton há mais de cem anos, mas até hoje é preciso chegar à universidade para receber educação formal sobre isso. Mesmo entre os alunos que tiram as maiores notas nas provas, conteúdos já obsoletos para especialistas estão fadados a ser rapidamente esquecidos após a realização da última avaliação sobre o assunto. O modo como a educação é realizada quase sempre produz aprendizados de curta duração, reduzida capacidade crítica e pouca integração entre as memórias.

Desde que as primeiras escolas foram inventadas, na Suméria, a educação se baseia na troca hierárquica entre um professor mais velho e muitos alunos[1] mais novos. Cinco mil anos depois, essa rígida organização muitas vezes se revela ineficiente, desinteressante e castradora de potencialidades mesmo entre os mais abastados, pois quase tudo o que se aprende com desprazer e monotonia dura pouco na mente das pessoas. O que permanece por muito tempo é o que é aprendido com prazer e curiosidade, fazendo com que o esforço seja propulsor de mais prazer, num círculo virtuoso de construção da mente por vontade própria, e não por exigência externa.

Como disse o educador Paulo Freire, "se a educação sozinha não transforma a sociedade, sem ela tampouco a sociedade muda". É urgente revolucionar a educação. Afinal, pela primeira vez em toda a trajetória humana, é possível e necessário que todas as pessoas tenham amplas oportunidades de aprendizado durante a infância e a adolescência, sem exceção de classe, gênero, raça, religião ou qualquer outro traço cultural. A revolução tecnológica 4.0 faz com que nossos descendentes tenham muito mais a aprender do que tivemos até agora.

Justamente por isso, a escola do futuro precisa ser radicalmente libertadora, formadora e crítica. Para alcançar esse objetivo, é essencial que a qualidade dos vínculos estabelecidos entre professores e alunos seja alta. Se em muitos países as professoras e os professores são respeitados, em diversos outros o magistério é profundamente desprestigiado. Para piorar: com ou sem prestígio, quase nunca se paga de forma decente aos adultos encarregados de educar as filhas e os filhos de cada geração, nossas crianças e nossos adolescentes, nossos maiores tesouros.

Se queremos salvar nossa espécie da degradação cultural, precisamos construir uma educação à altura de nosso acúmulo de saberes, dando a ela a mais alta prioridade. Precisamos atrair para o magistério os talentos mais brilhantes, investindo em salários excelentes para recrutar o melhor capital humano possível para a tarefa mais estratégica de todas: semear, germinar, florescer e frutificar as mentes jovens. Afinal, a principal tarefa de cada geração é a formação da próxima.

Uma comparação entre trinta integrantes da Organização para a Cooperação e Desenvolvimento Econômico (OCDE), que reúne os países mais prósperos do mundo, além de outros em desenvolvimento, mostra que a redução do tamanho das turmas ou a introdução de metodologias inovadoras só impactam de forma importante a qualidade educacional quando os professores se consideram remunerados e valorizados de maneira adequada.[2]

O esforço de valorização dos professores será em vão, entretanto, se não houver uma profunda transformação na forma como a educação é realizada nas escolas. Durante a pandemia de covid-19, a relação entre corpo docente e discente sofreu ainda mais, pois houve completa interrupção das aulas para a maior parte dos alunos materialmente pobres e a mediação das aulas remotas por telas e aplicativos foi difícil para a maior parte dos ricos. O aprendizado ficou bem mais complicado, lento e desigual, bem quando deveria estar se tornando cada vez mais rápido, duradouro e consistente entre os indivíduos.

A educação do futuro precisará acelerar e fazer durar o que se aprende na escola e fora dela, criando oportunidades ao mesmo tempo locais e globais de aprendizado contínuo: personalizadas de modo a se adaptar ao indivíduo, mas passíveis de aplicação em escala planetária. A receita é simples, mas poderosa: professores bem pagos, poucos alunos por turma, aulas de alta qualidade, uso inteligente de sonecas,[3] alimentação e exercício físico,[4] menos exposição monótona a conteúdos e mais pesquisa e atividades que exijam expressão oral, gestual e escrita, menos chatice repetitiva e mais prazer exploratório, menos provas traumáticas e mais oportunidades frequentes de testar e quantificar o conhecimento, com menos censura pedagógica e mais documentação em tempo real dos progressos realizados pelos estudantes.

Mas tanto esforço pela revolução do ensino ainda será em vão se não houver uma transformação igualmente profunda na forma como a educação é encarada pelos jovens. É comum que deem pouco valor a escolas e professores, pois sua perspectiva é a de vítimas de um sistema de coerção total e tédio infinito. Apesar de terem razão em muitas de suas queixas, quase todos os jovens só percebem tarde demais que a escola, com todos os seus defeitos e as suas insuficiências, ainda assim é a grande oportunidade formativa que quase todas e todos terão na vida, uma fresta que apesar de estreita permite a cada pessoa lutar para conquistar força, pensamento e voz — e, assim, escapar da perspectiva de presa neste mundo predador, aprender a voar com as próprias asas para construir um futuro que valha a pena ser vivido.

A experiência afro-brasileira de Flávia Soares dá testemunho vivo da revolução que a escola pode representar na vida das pessoas mais vulneráveis. Nascida e criada na Pedreira Prado Lopes, na Boca do Lobo, periferia de Belo Horizonte, desde cedo teve que enfrentar a pobreza material extrema e uma grande desestruturação familiar.

> Na época, minha mãe era vítima do alcoolismo, sem nenhuma base emocional para me buscar na escola, ela me esquecia lá. A d. Dalva, que era a diretora da escola, me pegava pela mão e me levava até o meu beco. E, naquele momento, eu via uma transformação acontecer. Toda vez que a minha mãe via essa mulher, essa diretora dessa escola, ela alinhava o corpo, respirava fundo e me recebia. Naquele momento, naquele dia, eu não apanhava.

Como criança e mulher negra, Flávia enfrentou inúmeras privações e violência doméstica ao longo da juventude e do início da idade adulta. Um dia, fugindo das agressões do primeiro marido, correndo pelas vielas da comunidade com medo de ser assassinada, Flávia escutou o som potente de um berimbau. Orientou-se por esse sinal de esperança e assim adentrou repentinamente uma roda de Capoeira Angola. Felizmente, tocando os instrumentos que comandam esse ritual, encontravam-se os alunos do mestre João Angoleiro.

A demanda era de vida ou morte, e sobretudo urgente. Muitas coisas se passaram naquelas cabeças em poucos segundos. A decisão foi tomada com fundamento na tradição: o quilombo abriu sua paliçada para a fugitiva, e a camaradinha Flávia foi escondida e protegida pelo grupo. Entrou e desde então permaneceu guardada no campo de mandinga da zebra, que foge do leão, coiceia para trás e sai ilesa da perseguição.

Nascia ali, no calor da batalha pela vida, uma duradoura relação de confiança e aprendizado entre discípula, grupo e mestre, uma parceria criativa que viria a se transformar, vinte anos depois, num casamento com a missão compartilhada de propagar a cultura popular capaz de resgatar destinos e dar sentido às lutas.

Hoje Flávia é mãe, avó, contramestre de Capoeira Angola do grupo Acesa, professora de dança africana e coordenadora do projeto Escola no Quintal,[5] que surgiu na pandemia para acolher crianças desassistidas de escolas, através da educação com fundamentos não eurocêntricos. Em suas palavras, o projeto

> é uma oportunidade de rever a educação a partir da tradição, a partir da valorização do griô, do mais velho, aquele que chegou antes e que traz a necessidade de ouvir histórias que partem da tradição e que nos convidam a acreditar na alfabetização. A tradição do corpo negro e indígena em movimento, a partir do toque do tambor, a partir da escuta, da paciência, do amor à mãe, ao pai, à comunidade, aos irmãos. Uma criança que tem sua identidade trabalhada de uma forma segura, verdadeira e luminosa consegue superar qualquer tipo de bullying, discriminação racial, intolerância religiosa, homofobia. Esse projeto representa então a chegada da verdade, da iluminação, da tradição como ela é: a tradição indígena, afro-brasileira, africana, a tradição hindu. Diferente da Babilônia, a tradição não caiu; pelo contrário, está de pé, para ajudar a recuperar o que foi perdido em tempos sombrios. A vida é o bem mais precioso da experiência humana aqui na Terra.

Em cada favela do mundo há crianças luminosas merecedoras de proteção e educação. Suas potencialidades são a riqueza maior da humanidade. No final dos anos 1950, uma mulher negra e paupérrima chamada Carolina Maria de Jesus revolucionou a literatura ao escrever sobre a fome em primeira pessoa, descrevendo com crueza e lirismo incomparáveis a vida brutal dos pretos e pardos favelados de São Paulo. É difícil se imaginar na pele de Carolina sem se desesperar, tamanhos os sofrimentos que precisou enfrentar: "O negro só é livre quando morre". Tinha apenas dois anos de educação formal, mas aproveitou muito bem o que aprendeu na escola para escrever uma obra única e original, marcada pela capacidade de observação e pela sensibilidade para a dor e a alegria do povo.

Quarto de despejo, seu primeiro livro, foi traduzido para catorze línguas, vendeu mais de 1 milhão de cópias em quarenta países e deu origem a um LP de mesmo nome gravado pela própria Carolina, cuja vida foi retratada em documentários na Suécia e na Alemanha.[6] Como Carolina demonstrou tão bem, até mesmo bem pouco tempo de escola pode fazer muita diferença na vida de uma pessoa. Entretanto, somente um bocado de escola boa pode libertar o povo planetário da maldição transgeracional de tantos talentos abortados e sonhos castrados. Se as relações de poder que corrompem a educação não se humanizarem, as Carolinas do mundo quase nunca terão vez.

A vida de Carolina foi de uma dificuldade extrema. Mãe dedicada de três filhos, sobreviveu a duríssimas penas por décadas, quase sem nenhuma ajuda do pai biológico de cada uma das crianças, driblando diariamente a fome e a doença em sua faina incansável como catadora de lixo. Nascida num lar rural e analfabeto, não reconhecida pelo próprio pai, Carolina foi impedida de estudar pela mãe e sofreu maus-tratos durante a infância. A menina sobreviveu, mudou-se para São Paulo grávida e se tornou uma mulher madura marcada pela orfandade, pelos abandonos masculinos, pelo abusos e pela fome. Tinha, entretanto, um talento excepcional que a escola catalisou.

Quanto mais cedo a criança entende que seu verdadeiro trabalho é aprender, mais cedo começam a operar as engrenagens de construção da autonomia, em parceria com pares e mentores. A educação do futuro será bem mais horizontal, menos baseada na ideia de que todos devem marchar iguais pelo mesmo caminho e mais fundada na multiplicidade de percursos para todos os tipos de gente — percursos que permitam a nossos descendentes a mais ampla gama de possibilidades formativas, que lhes possibilitem desenvolver múltiplas perspectivas, contemplar o todo e evitar a hiperespecialização; e que não transformem crianças em trabalhadores forçados, mas em pessoas felizes, amplas e profundas como sua ancestralidade requer. Isso encheria nossas vovós do Paleolítico de satisfação.

A trajetória de Carolina é motivo de júbilo para a humanidade, assim como a de Machado de Assis, neto de escravos alforriados, filho de um pintor de paredes negro e de uma lavadeira portuguesa, um menino de origem humilde que lia noite adentro sob a luz tênue de tocos de vela e que se tornou um escritor gigantesco.[7] Mas há diferenças importantes entre os dois. Machado foi patrono e primeiro presidente da Academia Brasileira de Letras e gozou de enorme prestígio por quase toda a sua vida adulta, enquanto Carolina viveu e morreu na miséria, com um breve hiato de notoriedade e prosperidade. Mesmo tendo feito tanto sucesso, ela terminou sua vida sem dinheiro e esquecida, com uma vasta produção inédita, sem receber os direitos autorais de suas obras e tendo de coletar lixo, fazer faxinas e dar aulas para sustentar os filhos.

Não sabemos se teria sido diferente se Carolina fosse homem, ou se fosse um pouco mais branca. A comparação com Lima Barreto, importante escritor nascido em fins do século XIX cuja produção literária se deu entre a de Machado e a de Carolina, fornece um contraponto elucidativo. Neto de escravas, filho de um tipógrafo e apadrinhado por um visconde monarquista, Barreto teve acesso em sua juventude à escolaridade de alta qualidade, tendo sido criado para ser doutor.[8] Apesar da derrubada da monarquia e do transtorno psiquiátrico do pai, o menino tornou-se um intelectual brilhante no início do século XX. Inicialmente atuando como jornalista mordaz e depois como ficcionista satírico e visionário, Barreto causou grande impacto como o mais ácido analista da mediocridade à brasileira, tanto das autoridades militares e civis quanto da opinião pública.[9] Dono de uma escrita fluida e coloquial, alicerçada no uso livre da linguagem popular, Barreto expôs com verve ímpar os privilégios e a hipocrisia dos endinheirados, assumindo sempre a perspectiva dos mais vulneráveis. Essa militância incomodou muita gente. Não surpreende, portanto, que Barreto tenha sido marginalizado pela crítica literária de seu tempo, a despeito de ter alcançado ainda em vida o reconhecimento reverente de importantes escritores. O boicote persistente o levou à depressão, ao alcoolismo e a repetidas crises psicóticas, que motivariam duas internações psiquiátricas e o estigmatizariam até seu triste fim em 1922, aos 41 anos, silenciado pelo mercado editorial brasileiro e excluído da Academia Brasileira de Letras. Teria tido melhor sorte se não tivesse um histórico familiar de transtornos psiquiátricos, ou se não tivesse se tornado alcoolista? É provável que sim. Teria chegado tão longe se fosse mulher? É quase certo que não. Seria mais suave seu caminho se, em vez de negro, fosse branco? É óbvio que sim.

Para além das muitas distinções entre Barreto, Carolina e Machado, o que suas trajetórias demonstram é que a superação das diferenças de classe por uma revolução educacional precisa também dar conta das distinções de gênero e raça que nos desunem. Não é só a escola que precisa mudar, nem apenas a atitude de alunos e professores. Só quando todas e todos, sem exceção, puderem cuidar e ser cuidados reciprocamente haverá progresso social genuíno. Hoje as relações de cuidado são quase sempre unilaterais, e por isso são tão doentes. As mães quase sempre cuidam dos filhos, mas os filhos raramente cuidam das mães. As esposas cuidam dos maridos, mas os maridos raramente cuidam das esposas. É preciso curar nossas relações pela paridade dos cuidados entre indivíduos. E uma paridade verdadeira só poderá emergir quando houver um equilíbrio nas relações de poder que organizam a sociedade.

Se você é branco ou branca, é quase certo que tenha atravessado a vida sem nunca ter recebido orientações ou ordens de uma pessoa negra ou indígena. Se você é mulher, é bem provável que tenha tido apenas chefes e supervisores do sexo masculino. Se você é materialmente pobre, quase com certeza nunca foi servida ou servido por uma pessoa materialmente rica. A unilateralidade das perspectivas adoece muitíssimo a sociedade, fazendo com que os papéis de dominante e dominado, por nunca se alternarem, comecem a se confundir com os próprios egos conscientes.

Para escapar dessa confusão é preciso buscar ativamente a alteridade. Hábitos são construídos e reconstruídos no cérebro humano a cada instante. Nossa reeducação exigirá experimentar, na prática, o funcionamento de novas relações. Depois de tomar consciência das assimetrias a serem superadas, é preciso praticar de forma voluntária a inversão das perspectivas, para que seja possível perceber com alguma profundidade o ponto de vista dos outros.

Será preciso extrema atenção e discernimento para compreender a melhor forma de diálogo entre saberes distintos, sem que um suprima o outro, sem que sentidos fundamentais sejam esvaziados e sem que apropriações culturais terminem por excluir dos benefícios da tradição seus herdeiros mais legítimos. Nessa troca cultural contra-hegemônica, o encontro dos diferentes propicia enorme energia potencial para a cura das unilateralidades. As próximas décadas serão marcadas por um intenso descobrimento de todas e todos nós. Temos muito a aprender uns com os outros: muito a entender para sermos realmente terráqueos.

É, portanto, urgente um ajustamento de conduta em diversas esferas, pautado pela redução de danos e pela mudança cultural paulatina, mas irrefreável. É importante tomar consciência de que essa mudança exigirá exercícios constantes de ampliação de perspectiva. Viaje para fora de sua classe, sua raça, seu gênero, sua nacionalidade, sua orientação sexual. Experimente ser mais amplo do que até aqui foi confortável ser. Experimente aprender com quem você nunca aprendeu nada. Para ser bem explícito: os brancos que nunca interagiram com pessoas negras que não estivessem na posição de serviçais precisam urgentemente ser aprendizes ou ajudantes de pessoas negras. Os homens que nunca foram discípulos ou subordinados de mulheres precisam com urgência estabelecer relações assim.

É imprescindível a partilha genuína do trabalho doméstico e do cuidado parental, que empoderam e autonomizam pais e filhos em relações de respeito e autorrespeito. Homens, para ser explícito: é preciso fazer feira, cozinhar, lavar louça e pia, limpar fogão, estender roupas, lavar banheiro, varrer e passar pano, trocar fraldas, limpar e dar banho nos filhos, ler para as crianças, supervisionar tarefas escolares, regar as plantas, tirar o lixo, pagar as contas e tudo o mais que a casa pede, mana a mano e olho no olho, ensinando as crianças a fazer o mesmo. Afinal, como disse W. E. B. Du Bois, elas "aprendem mais com o que você é do que com o que você ensina". A partilha de trabalhos domésticos com as crianças é uma forma ancestral de deixá-las expressar solidariedade, autonomia e criatividade. Como explicou Frederick Douglass, "é mais fácil construir filhos fortes do que consertar homens quebrados".

O cuidado parental deflagra um ciclo virtuoso. Quando nasce um bebê, tanto a mãe quanto o pai experimentam profundas mudanças hormonais que os aproximam, e que se sustentam pela reiteração de atos em prol do desenvolvimento saudável da cria. Mudanças nos níveis de prolactina, ocitocina, vasopressina e testosterona estão associadas à redução da agressividade e ao aumento de comportamentos de proteção e nutrição.[10] Entretanto, na maior parte dos casos, desde a primeira mamada, a mãe se incumbe muito mais do cuidado com os filhos do que o pai. Com o passar do tempo, a aceitação e a naturalização dessa disparidade levam o pai a entrar num ciclo vicioso oposto, com mudanças hormonais que favorecem a agressividade e a promiscuidade. A parentalidade masculina bem desenvolvida, convergente com a parentalidade feminina, é um fator de segurança e conforto para toda a comunidade. Nas palavras do cantor e compositor Mateus Aleluia, em sua canção "Sagrado masculino": "E o masculino sagrado, existe? Existe sim, existe. E para teu, nosso conhecimento, o sagrado masculino foi gerado, gestado, parido pelo sagrado feminino. Sim, o sagrado feminino doou uma costela para a gestação do sagrado masculino".

Nossa ampliação de perspectivas precisa agora ser

a mais abrangente possível. A necessidade de alcançar equilíbrio nas relações de poder corresponde à de aprender a perceber o mundo pelo olhar alheio. O treinamento regular nesse processo nos fará cada vez melhores e dignos de nossas ancestralidade e descendência. Os homens que nunca se aproximaram do universo das mulheres precisam desenvolver sua essência feminina. Os adultos que não conversam com crianças nem com pessoas longevas precisam se aproximar, escutar e observar. Os heterossexuais que nunca tiveram relações respeitosas e carinhosas com não heterossexuais precisam urgentemente buscar dentro e fora dos armários seus amigos ainda pouco conhecidos.

Quando brasileiras negras e de origem humilde viajam pelo mundo dando aulas de Capoeira para homens e mulheres de todas as cores, saberes ancestrais são disseminados ao mesmo tempo que relações de dominação muito antigas são desconstruídas — na prática. Cultivar o equilíbrio nas relações de poder leva a mais equilíbrio nas relações de poder — e a mais riqueza cultural.

Para quem vive no Brasil, é absolutamente essencial tomar consciência de seus mais de trezentos povos indígenas e de sua maravilhosa variedade. Também é absolutamente essencial tomar consciência da riquíssima herança cultural dos distintos povos africanos — Congo, Benguela, Cabinda, Angola, Ketu, Fon — que construíram os alicerces do país.

Quem quiser sentir a pulsação da Pacha Mama precisará compreender que temos irmãs e irmãos no Paraguai, na Bolívia, no Chile, na Argentina, no Equador e além. Quem quiser se conectar com a Mãe África, de onde partiram nossos ancestrais sapiens para ocupar todo o planeta, precisa se abrir para a maravilha de seus tambores, suas danças, sua culinária, sua alegria e seus mitos. É preciso aprender o significado de Asè, Erehé, Aho, Awei, Iê, Ilê, Iberê, Haixopë! Beleza pura da Mãe Terra num casamento tradicional Herero,[11] odara pulsante e dendê brejeiro nos casamentos do Malaui.[12] Saravá as festas.

Que interessante comparar um casamento hétero ao estilo Maori[13] na Nova Zelândia a um matrimônio trans em Israel![14] Casamentos e nascimentos são em geral maravilhosos, mas um funeral também pode ser, como o rito budista em que incensos queimam e sinos tocam enquanto a dor ascende aos céus.[15] As experiências universais de nascimentos, infância, juventude, fase adulta, procriação, maturação e morte são parte de nosso caminho comum, que a cada geração preenche e renova com imagens pessoais um arcabouço coletivo de memórias ancestrais.[16] Nesse mergulho, restam por desatar os nós de todas as desigualdades, assimetrias e opressões.

Somente enfrentando a complexidade de tantas diferenças entrelaçadas será possível progredir em harmonia. Como diz a filósofa Djamila Ribeiro, "homem negro sofre racismo e pode sim ser discriminado por uma mulher branca nesta questão. Da mesma forma que um homem negro pode ser machista com uma mulher branca [...]. Se eu luto contra o machismo, mas ignoro o racismo, eu estou alimentando a mesma estrutura". Muita gente se sente vítima, mas não consegue se perceber como algoz em outras dimensões da existência. Nas palavras da escritora estadunidense bell hooks:

> A criança ferida dentro de muitos homens é um menino que, da primeira vez que falou suas verdades, foi silenciado pelo sadismo paterno, por um mundo patriarcal que não queria que ele reivindicasse seus reais sentimentos. A criança ferida dentro de muitas mulheres é uma menina que foi ensinada desde os primórdios da infância que deveria se tornar outra coisa que não ela mesma e negar seus verdadeiros sentimentos, para atrair e agradar os outros. Quando homens e mulheres punem uns aos outros por dizer a verdade, reforçamos a ideia de que o melhor é mentir. Para sermos amorosos, precisamos estar dispostos a ouvir as verdades uns dos outros e, o mais importante, reafirmar o valor de dizer a verdade. As mentiras podem fazer as pessoas se sentirem melhor, mas não nos ajudam a conhecer o amor.[17]

A corrente de pensamento denominada "mulherismo africana", proposta pela escritora e professora estadunidense Clenora Hudson-Weems, busca inspiração na organização social de matriarcas africanas para identificar uma ética do cuidado especialmente inclusiva e geradora de potências, centrada no poder, no saber e na luta das mulheres desde muito antes da colonização europeia. Essa perspectiva compreende que homens e mulheres negros muitas vezes reproduzem comportamentos opressivos com seus familiares de forma a compensar[18] o trauma do racismo, precisando não de leniência, mas sim de tratamento e atenção, para (re)construir uma ética do cuidado com base na reciprocidade, na centralidade da família e na corresponsabilidade. Num poema de Clenora: "Não vamos a lugar nenhum sem o outro. Isso significa que os homens, as mulheres e as crianças também estão trabalhando coletivamente". A intensa solidão do ser, que alcança o máximo no momento da morte, só pode ser aplacada pela companhia amorosa de familiares e amigos. Enquanto pudermos, precisamos caminhar juntos, sem deixar ninguém de fora.

As próximas décadas aprofundarão radicalmente o atrito de perspectivas e o reconhecimento da sua multiplicidade. A filósofa, escritora e ativista antirracista Sueli Carneiro avisa que "o pessoal da orientação sexual não vai retroceder em suas lutas, as mulheres não vão recuar nas suas agendas; nós não vamos voltar para a senzala. E isso está colocado. Vai ter luta!".[19] As palavras de Sueli ressoam na voz da líder indígena e ambientalista Alessandra Korap Munduruku: "A gente precisa de floresta, a gente precisa preservar o território para os nossos filhos, para os nossos netos ou tataranetos. A gente vai resistir para continuar vivo".[20] Pontos de vista historicamente suprimidos vêm emergindo com força e legitimidade, e seu crescente protagonismo aponta para o dia em que a eliminação das múltiplas desigualdades irá permitir um convívio de fato harmônico entre os diferentes.

Até lá, muita luta, muito trabalho e muito aprendizado. Quem quiser viver a alma planetária vai precisar aprender sobre jejes, polinésias, hereras, corsos e tibetanas. Um pouco de tudo, uma pitada de todas e todos, para coser sínteses equilibradas de nossa humanidade. A exposição a culturas variadas permite o cultivo da alteridade e a expansão da autoidentidade. Não é preciso ser uruguaio para apreciar a inteligência musical de Jorge Drexler: *"Yo no soy de aquí/ Pero tú tampoco/ De ningún lado del todo/ De todos lados un poco"*.[21] Não é preciso ser baiano para se emocionar com o samba de roda puxado na palma de terreiro: "Eu não sou daqui/ Eu não tenho amor/ Eu sou da Bahia/ De São Salvador". Você pode ser daqui e dali, um pouco disso e outro tanto daquilo, sem apropriação e com todo o respeito.

Pode e deve. Se você quer aprender sobre a Turquia, pode assistir à sua produção audiovisual disponível na internet, coisa inimaginável até poucos anos atrás. As opções vão desde a desconcertante série dramática *8 em Istambul*, sobre o atrito cultural causado pela guinada fundamentalista do país nas últimas duas décadas, até a laudatória e ainda assim cativante série histórica *O grande guerreiro otomano*, sobre os conflitos no século XIII entre as tribos nômades turcas e seus adversários cristãos e mongóis.

Centrada na figura histórica de Ertugrul, pai de Osman I, o fundador do Império Otomano, essa série reitera inúmeras vezes que o embate entre presas e predadores dentro do mesmo grupo familiar pode levar ao fim de todos. Ertugrul é um paladino da fé islâmica, tão galante, corajoso e violento quanto Sir Galahad, heroico cavaleiro andante da Cristandade. Misturada à unilateralidade patriarcal de ambos, a saudável constatação de que se o mal está em toda parte, o bem também está. Na vida real e na ficção, na cultura popular e na tradição milenar, as mensagens são parecidas.

No exercício de alteridade entre povos tão distintos, nos depararemos com vivências profundamente diferentes do tempo. Mais uma vez é revelador considerar as palavras de Tuiávii sobre o homem branco que ele chama de Papalagui:

> Divide o dia tal qual um homem partiria um coco mole com uma faca em pedaços cada vez menores [...] o Papalagui queixa-se: "Que tristeza que mais uma hora tenha se passado". O Papalagui faz, então, uma cara feia, como um homem que sofre muito; e no entanto logo depois vem outra hora novinha [...]. Digo que deve ser uma espécie de doença porque, supondo que o Branco queira fazer alguma coisa, que seu coração queime de desejo, por exemplo, de sair para o sol, ou passear de canoa no rio, ou namorar sua mulher, o que acontece? Ele quase sempre estraga boa parte do seu prazer pensando, obstinado: "Não tenho tempo de me divertir". O tempo que ele tanto quer está ali, mas ele não consegue vê-lo. Fala em uma quantidade de coisas que lhe tomam o tempo, agarra-se, taciturno, queixoso, ao trabalho que não lhe dá alegria, que não o diverte, ao qual ninguém o obriga senão ele próprio. Mas, se de repente vê que tem tempo, que o tempo está ali mesmo, ou quando alguém lhe dá um tempo — os Papalaguis estão sempre dando tempo uns aos outros, é uma das ações que mais se aprecia — aí não se sente feliz, ou porque lhe falta o desejo, ou está cansado do trabalho sem alegria. E está

sempre querendo fazer amanhã o que tem tempo para fazer hoje.

A dura crítica de Tuiávii se alinha com os princípios difundidos pela "Economia de Francisco", propagada no espírito solidário e amoroso de são Francisco de Assis por jovens do mundo inteiro, de todas as idades, porque jovens na mentalidade e na esperança. Jovens como o papa Francisco e outras 2 mil pessoas de quarenta países, coligados na cidade de Assis em novembro de 2020 em prol de um novo sistema econômico. Suas consignas são as da espécie: a nossa terra tão maltratada não aguenta mais. O dinheiro é apenas um instrumento. O protagonismo dos jovens é essencial. Pensar no bem de todos é essencial. Responder a esse chamado é essencial. Contar e viver histórias de amor ao próximo é essencial.

Algumas das histórias aqui contadas são reais, outras são mitológicas, outras são literatura. Todas, entretanto, representam a experiência de multidões de pessoas. O relato do chefe samoano Tuiávii, publicado em 1920 na Alemanha pelo pintor e romancista Erich Scheurmann, foi questionado por linguistas como sendo possivelmente ficcional.[22] Estudos recentes sugerem um personagem composto, inspirado em múltiplos chefes com quem Scheurmann travou contato quando viveu em Samoa Ocidental como escritor e, depois, como prisioneiro de guerra. Segundo seus críticos, ele teria buscado a voz e a perspectiva dos habitantes dos mares do Sul para fazer sua demolidora crítica à sociedade europeia.

Saber se Tuiávii existiu de verdade é importante, mas muito mais relevante é a verdade das palavras atribuídas a ele. O mesmo vale para Jesus Cristo, Angulimala ou Krishna. O fato é que todas essas vozes expressam uma verdade congruente: estamos profundamente doentes e precisamos de tratamento e cura. Precisamos recuperar o tempo perdido, pois os últimos momentos para corrigir o rumo estão passando muito depressa. Nos próximos anos, teremos de lidar cada vez mais com a perda dos empregos para as máquinas inteligentes e com a extensão progressiva da vida dos mais ricos, mediante terapias gênicas, reposição de órgãos e biorrobótica. Teremos de enfrentar as consequências fisiológicas e psicológicas da pandemia de telas, o esvaziamento das relações presenciais e o massacre do mundo imaginal. Como sairemos desse labirinto evolutivo?

10. SAIR DO LABIRINTO

Só sairemos da armadilha evolutiva em que nos encontramos com uma mudança de hábitos profunda, inteligente e libertária. Um bom ponto de partida é compreender que a satisfação baseada na aquisição de bens pouco duráveis e quase sempre embalados em plástico precisa acabar. É preciso resgatar a tradição de valorizar os objetos, sem descartá-los após o uso rápido apenas para poluir o planeta mais e mais. Para escapar da extinção, teremos de interromper a tradição milenar de agressão desvairada do solo, do mar, do ar e dos seres vivos. Nas próximas décadas, teremos forçosamente de alcançar a neutralidade de carbono, reduzindo de forma drástica as viagens de avião e os rebanhos colossais de animais produtores de gases de efeito estufa; substituindo combustíveis fósseis por fontes renováveis, como as energias solar e eólica; gerando, estocando e distribuindo energia localmente; trocando carros convencionais por veículos elétricos; e aumentando a eficiência energética de lâmpadas e eletrodomésticos. Além disso, as pessoas precisam morar perto de seus locais de trabalho e estudo, pois o deslocamento diário, além de consumir um tempo precioso das famílias, também polui e cria riscos desnecessários. A pandemia mostrou que muitos profissionais podem atuar em casa, e quem tem de sair de casa para trabalhar precisa ter a oportunidade de fazer isso de modo saudável — a pé ou de bicicleta.

Se você acha tudo isso improvável, compreenda que é completamente inviável manter o curso atual. Nunca foi tão necessária a racionalidade do consumo e a moderação dos desejos. Enquanto multidões agonizam de fome, os materialmente ricos estão doentes de desejos insaciáveis. É preciso lembrá-los a todo momento de que é impossível comer dinheiro. Fome dói.

A obra de Carolina Maria de Jesus ensina muito sobre essa realidade:

> Eu que antes de comer via o céu, as árvores, as aves, tudo amarelo, depois que comi, tudo normalizou-se aos meus olhos [...]. A tontura da fome é pior do que a do álcool. A tontura do álcool nos impele a cantar. Mas a da fome nos faz tremer. Percebi que é horrível ter só ar dentro do estômago.[1]

Multidões de Carolinas hoje encaram a fome.[2] Estima-se que a insegurança alimentar alcance hoje mais de 2,4 bilhões de pessoas, e que mais de 150 milhões de crianças menores de cinco anos estejam atrofiadas por desnutrição.

Apesar do crescimento persistente da população mundial, a produção agrícola do planeta deve cair 10% até 2050, sendo reduzida à metade em regiões como China, Índia e África subsaariana. As áreas férteis estão se desertificando de forma acelerada por causa da agricultura antiecológica, dos desmatamentos e da mudança climática global.[3] Um terço do solo da Terra está destroçado pela aragem, exaurido de nutrientes e incapaz de reter água, e mais de 90% do que restou pode ser degradado até 2050. Até o final do século XXI,[4] estima-se que a destruição de recursos terrestres causará a migração de 10 bilhões de pessoas.

A crise da agricultura é acompanhada da crise pecuária, pois a indústria da carnificina em massa de bois, frangos, porcos, carneiros, cavalos, camelos e tantos outros animais é responsável por grande parte do desequilíbrio ambiental que vivemos: 14,5% dos gases de efeito estufa são decorrentes dessas atividades. Para desmontar essa bomba-relógio, precisamos superar nossa insistência patológica em tratar seres sencientes como coisas que não merecem o menor respeito.

É possível e necessário substituir o consumo de proteína animal pelo de proteína vegetal. Feijão, grão-de-bico, ervilha, lentilha, soja e tantos outros grãos são deliciosos em sua enorme variedade e hoje servem de base para alimentos processados saudáveis que imitam com sucesso hambúrgueres, frango, almôndegas e salsichas.

É preciso aprender a ingerir regularmente as vitaminas e os minerais presentes em verduras e frutas, prestando atenção nos "antinutrientes" que podem impedir sua absorção quando combinados na mesma refeição.[5] A opção por uma alimentação à base de plantas precisa vir acompanhada da compreensão de que a monocultura e a aragem destroem o entrelaçamento fino entre a estrutura de raízes das plantas e a microbiota do solo. A destruição das micorrizas e a lixiviação do solo levam ao seu empobrecimento progressivo.

Precisamos com a máxima urgência superar a lavoura arcaica que só nos faz sofrer. A solução para a fome global está em ter cada vez mais produção local e cada vez menos centralização: *"Terroir for everybody"* [terroir para todos], senão é terror. Para desentortar esse arado, o sistema linear de fluxo energético atual, que extrai do meio ambiente numa ponta e, na outra, devolve lixo, precisa se tornar um sistema circular, em que os resíduos são sempre matéria-prima para o próximo ciclo. Para garantir que a alimentação das gerações futuras será robusta, diversa e sustentável, será preciso multiplicar hortas e jardins urbanos, compostar adubo, plantar, colher e preparar alimentos saudáveis com as próprias mãos. Também será preciso ampliar a rede de agroflorestas e fazendas de algas.

Dieta baseadas em alimentos ultraprocessados, com excesso de açúcar, álcool, carboidratos refinados, gorduras saturadas e trans, aumentam a inflamação, propiciam hipertensão, provocam depressão e aceleram o envelhecimento.[6] O consumo de alimentos vegetais ricos em fibras e nutrientes, como folhas, frutas, sementes, castanhas e grãos germinados, resgata tradições que devem ter nascido antes mesmo do início da agricultura. Também é crucial aumentar o consumo de alimentos não alergênicos, sem glúten, resquícios de insetos ou derivados de leite que aumentam a inflamação corporal e aceleram o envelhecimento. Por incrível que pareça, não carregamos inúmeras criaturas apenas na mente, mas também nas vísceras.

Somos seres cheios de seres, e para cuidar bem deles é preciso retomar uma antiga tradição que se espalhou pela Rota da Seda através dos séculos: precisamos reaprender a comer alimentos fermentados, como iogurte, *kombucha*, chucrute e *kimchi*. Alimentos fermentados facilitam a digestão, aumentam a diversidade da microbiota intestinal e reduzem os níveis de inflamação. Seu consumo pode prevenir o surgimento de artrite e diabetes e tornar o envelhecimento bem mais saudável. Devemos aos pastores seminômades das estepes da Ásia, aos camponeses do Extremo Oriente e aos mercadores de toda parte esses verdadeiros tesouros da juventude.

São muitos os ensinamentos antigos sobre hábitos fundamentais que precisamos resgatar, praticar e ensinar. Quantas vezes precisaremos reaprender a beber água em quantidade suficiente ou a moderar na alimentação? Quem come as coisas certas sem excessos vive mais e melhor.

Ao mesmo tempo que precisamos nutrir as pessoas de maneira adequada, é preciso construir uma sociedade em que reencontraremos a satisfação de viver, para além do trabalho que realizamos.

Na Islândia, entre 2015 e 2019, governos e sindicatos promoveram um experimento social futurista que atingiu 1% de toda a população. Foram testados os efeitos de uma redução da jornada semanal de trabalho de quarenta horas para 35 horas, perfazendo apenas quatro dias de trabalho por semana. O resultado foi um sucesso retumbante para empregados e empregadores, pois quando as pessoas estão mais saudáveis e têm mais tempo para si mesmas e para suas famílias, também se tornam mais produtivas.[7]

A fim de se recuperar dos efeitos devastadores da pandemia, a cidade de Amsterdam começou, em abril de 2020,[8] um experimento pioneiro de implementação do modelo *donut*, voltado não para o crescimento do produto interno bruto, mas para o desenvolvimento sustentável com promoção da redução da desigualdade, da inclusão social, da regeneração ecológica e do crescente bem-estar geral.[9] Proposto pela economista inglesa Kate Raworth, o modelo usa o *donut* — a rosca de confeitaria — como metáfora para uma economia que equilibra as necessidades humanas essenciais, como alimentação, habitação, saúde, educação, justiça, paz, voz política etc., com a pressão sobre os sistemas ambientais de suporte da vida, que levam a poluição generalizada, clima instável, solos inférteis, destruição da camada de ozônio, acidificação dos oceanos, redução da biodiversidade, esgotamento da água de boa qualidade etc. É essencial que consigamos equilibrar nosso desenvolvimento entre um piso social — abaixo do qual ninguém deve viver — e um teto de limites planetários — acima do qual ninguém ouse operar.[10] Nas palavras de Raworth, "entre as fronteiras sociais e planetárias está um espaço ambientalmente seguro e socialmente justo no qual a humanidade pode prosperar".[11]

No futuro, quando as máquinas fizerem quase tudo melhor do que nós, precisaremos nos concentrar naquilo em que ainda nos destacaremos: amar e ter prazer. Nosso futuro, se for bom, será como previsto pelo filósofo alemão Karl Marx há quase duzentos anos: vicejaremos no encontro com a natureza e na produção e na fruição deleitada da arte, do esporte, da ciência e do enorme repertório de práticas introspectivas e expressivas da humanidade, como a meditação, a dança, o teatro, as artes marciais, os jogos coletivos, as inúmeras formas de transe religioso e tantas outras maravilhas da cultura humana.

> Quando houver desaparecido a subordinação escravizadora dos indivíduos à divisão do trabalho e, com ela, o contraste entre o trabalho intelectual e o trabalho manual; quando o trabalho não for somente um meio de vida, mas a primeira necessidade vital; quando, com o desenvolvimento dos indivíduos em todos os seus aspectos, crescerem também as forças produtivas e jorrarem em caudais os mananciais da riqueza coletiva, só então será possível ultrapassar-se totalmente o estreito horizonte do direito burguês e a sociedade poderá inscrever em suas bandeiras: De cada qual, segundo sua capacidade; a cada qual, segundo suas necessidades.[12]

Estamos doentes de tomar tantos remédios e de tanta sabotagem das condições básicas da saúde. É urgente estabelecer terapêuticas que efetivamente tragam bem-estar às pessoas, sem os vieses da indústria farmacêutica e sua pressão pela hipermedicalização. Sono, alimentação, exercícios físicos e relações saudáveis são a base da saúde de qualquer ser vivo. É preciso entender que em todas as partes do planeta há gente sofrendo e que ninguém merece sofrer, pois todas e todos são crianças que cresceram e continuam querendo mais ou menos as mesmas coisas: carinho, atenção, cuidado, respeito e troca. Comportamentos cooperativos são uma marca notável da vida animal, de abelhas e cupins a ratos e seres humanos. O que temos pela frente é o esforço de por fim alinhar nossa capacidade de cooperação com as necessidades não apenas de um pequeno grupo de pessoas, mas de toda a vida na Terra. É preciso regenerar, re-humanizar e revitalizar todas as nossas relações.

Pense, por exemplo, na humanização necessária para tornar verdadeiramente terapêutico um típico ambiente de Unidade de Terapia Intensiva (UTI), com suas luzes piscando e sons apitando de dia e de noite. À primeira vista, isso parece um detalhe irrelevante, pois antes de quaisquer questões psicológicas seria preciso manter o coração batendo e o pulmão respirando. Em outras palavras, antes de sermos pessoas, seríamos máquinas biológicas que bombeiam fluidos, superaquecem e podem parar. Mas, na verdade, a relação do corpo com a mente é muito mais sofisticada e interessante do que isso. Pessoas internadas em UTIs com frequência sofrem desregulação de seu relógio biológico e alterações emocionais e cognitivas que podem levar à desorientação e à depressão — isso tudo enquanto lutam pela vida.[13]

Há evidência científica de que a musicoterapia reduz a ansiedade e a depressão em mães de crianças prematuras, prevenindo doenças cardiovasculares.[14] Essa terapia também melhora a resposta de pacientes hipertensos aos remédios usados para controlar a pressão sanguínea.[15] Esse é apenas um exemplo de como temos trabalho a fazer para tornar os ambientes que habitamos mais saudáveis. É preciso que cada um e uma de nós pense nas experiências alheias como se fosse consigo.

Por isso mesmo, é preciso de uma vez por todas abolir a tortura e o encarceramento que a ela equivale. Praticamente todas as religiões e todos os sistemas políticos do planeta dizem defender o amor, a compaixão e a empatia. Mesmo assim, continua-se a prender e a supliciar seres humanos, como se massacrar pessoas fosse uma respeitável atitude hinduísta, budista, cristã ou muçulmana. Quem usa a palavra de Krishna, Buda, Cristo ou Maomé para legitimar a violência é indigno de usar qualquer um desses nomes — é um fóssil vivo da brutalidade da Idade do Bronze.

No admirável mundo novo do futuro ao nosso alcance não haverá espaço para tiranos, muros ou guardas, pois a verdadeira segurança é conviver em uma comunidade de amigos. Não podemos mais viver ilhados como náufragos e amontoados como formigas, com medo uns dos outros. Será preciso realizar uma ocupação mais inteligente e menos aglomerada dos espaços, com bem-estar social e planejamento familiar que permitam um equilíbrio entre as gerações, para o convívio saudável de pessoas de todas as idades.

É óbvio que nada disso acontecerá se não regularmos nossa economia de forma a aumentar o equilíbrio, com pouca disparidade na distribuição de bens materiais e imateriais: o Tao da Acumulação. Nunca os ricos foram tão ricos e os pobres, tão numerosos. Todo sistema vivo busca o equilíbrio entre os extremos, num retorno sustentado ao centro, que recebe o nome de homeostase. É imprescindível implementar piso e teto para a riqueza, de modo que ninguém tenha excessivamente pouco ou muito. Isso não significa violar direitos individuais; ao contrário: é impedir que indivíduos se apropriem de muito mais do que podem utilizar, em prejuízo da maioria.

Faz parte desse processo de expansão de consciência planetária de fato nos darmos conta do papel de cada um na transformação em curso. Enquanto as pessoas na base da pirâmide social precisam cada vez mais se organizar e se insurgir para questionar privilégios, aquelas que estão topo precisam aprender a se colocar no lugar dos vulneráveis. Nesse processo de viver em paz e harmonia, pessoas de todos os tipos, na base, no meio e no topo, precisam se iluminar.

É bem verdade que há boas razões para duvidar dessa solução. Se você também é cético quanto a essa possibilidade, pode ser interessante relembrar o mito de Angulimala. Enquanto houver vida, ainda há tempo para mudar.

Para nossa reconexão com a linha mestra da irmandade humana, precisamos pedir licença e inspiração aos nossos mais velhos, escutar as vozes das anciãs e dos anciões, que se lembram do tempo antigo, mas enxergam o tempo vindouro. Da mesma forma, para a conexão com o futuro de nossa linhagem, precisamos pedir licença e inspiração aos nossos mais novos, escutar as vozes das crianças e dos adolescentes, que percebem a injustiça sem engano e praticam o prazer de viver sem remorso. Precisamos dar ouvidos ao alinhamento entre as palavras de Greta Thunberg e de Raoni Metuktire, cacique caiapó que se tornou um líder ambiental planetário. Quanto mais ampla for a escuta, melhor para a coletividade. Jovens e longevos possuem perspectivas e habilidades cognitivas complementares,[16] e o melhor aconselhamento para o futuro só pode vir da consideração atenta de suas opiniões.

Sem um verdadeiro diálogo entre nossa ancestralidade e nossa descendência, sem uma consideração profunda e fértil dos interesses e das opiniões dos nossos longevos e das nossas crianças, será impossível navegar essa sociedade adoecida até um porto seguro. Como ensina Ailton Krenak, mais do que nunca é preciso lançar-se ao futuro com alegria:

> A vida [...], por ser esse dom tão indescritível, incontível, [...] não pode ser percebida de outra maneira senão com contentamento, alegria e uma resposta criativa para o sentido de uma dança cósmica. Se você fosse chamado para uma dança cósmica, você ia ficar cabisbaixo, ou [...] saltitante?[17]

O momento é agora. Se Alexandre Magno, Gengis Khan, a rainha Nzinga ou a rainha Vitória de súbito se iluminassem e decidissem alimentar todas as bocas do planeta, fracassariam irremediavelmente. Não seriam capazes de alimentar por completo nem seu próprio povo. Apenas 2,6 milhões de anos depois da invenção da ferramenta de pedra, meros 23 mil anos depois da domesticação dos cães, menos de 5 mil anos após a invenção da escrita e menos de cem anos depois da invenção do computador, conseguimos reunir conhecimento científico e moral suficiente para eliminar a fome, a violência e inúmeras doenças.

Cumpre construir nossa guirlanda de flores culturais. Temos todo o direito e, sobretudo, a obrigação de pensar grande, gigante, até onde a vista alcança e mesmo além, bem fora da caixa da caixa da caixa, para reformar de maneira profunda nosso jeito de estar no mundo. Se no século XX pudemos avançar tão depressa na engenharia de materiais e na engenharia genética, porque não seríamos capazes no século XXI de avançar de modo igualmente rápido na reengenharia de nossa sociedade? Por que precisamos seguir o curso atual da história, se é evidente que nos leva direto para o abismo? Por que não reagiríamos a tempo? Por que os menos de 3 mil bilionários do mundo hesitam em cuidar do planeta como se fosse a sua casa? O que diriam dessa hesitação aquele punhado de ancestrais paleolíticos que, a contrapelo de todas as dificuldades, difundiram a linhagem sapiens para fora da África?

Um punhado equivalente de pessoas precisa se iluminar agora. Reunindo os ativos intelectuais e morais de nossa espécie, temos todos os elementos para criar um modo de funcionamento ambiental, social e econômico em que todas as pessoas e os outros seres vivos possam se desenvolver de forma plena, com saúde física e mental. Isso jamais foi possível no passado. Se fracassarmos agora, talvez não seja possível no futuro. O que torna este instante tão especial é que está realmente dada a possibilidade de vitória do prazer sobre a dor.

A depender do que fizermos nos próximos anos, nós que ainda estamos bem vivos nessa encruzilhada evolutiva de proporções épicas adentraremos o paraíso ou o inferno. A depender do que fizerem as quatro ou cinco gerações que compartilham esse momento crucial da experiência consciente na superfície do planeta Terra, o futuro será demoníaco e pavoroso — ou então divino e maravilhoso.

É preciso reconhecer que se trata de um momento singularmente solene. Não apenas para nossa espécie, mas para toda a dança cósmica.

AGRADECIMENTOS

ESTE LIVRO FOI FEITO PARA
    Raposa, Bizugão, Bizuguinho & Borboleta
    Biba, Tiá, Tequinha, Claudio & Fernando
    Eduardo, Sergio & Pedro
    Mizipai, Galego e Lulu
    Lu & Mario
    Cecélia, Leni & Mércia
    Isaac & Celina
    Marta, Tere, Sonia & Roberta

ESTE LIVRO FOI ESCRITO
    Em frente à praia de Cotovelo, em Parnamirim, e na Casa Haux da vila de São Jorge, além dos pousos breves em Brasília, São Paulo, Rio de Janeiro e Piranhas.

AGRADEÇO A
    Vera Lúcia Tollendal Gomes Ribeiro, pelo melhor de mim;

Luiza Mugnol Ugarte, pela liberdade intensa, construtiva, propositiva, disruptiva, transformante, inteligente e gozante;

Ernesto e Sergio Mota Ribeiro, os erês cujo axé é minha bússola;

Mario Lisboa Theodoro e Luciana de Barros Jaccoud, pelas ideias, pesquisas, atos, diálogos e luta da vida inteira por um Brasil que valha a pena construir;

Ricardo Teperman, pela edição lúcida, sobriedade crítica, amplitude e gentileza. E perícia na antevisão de problemas!

Waldemar Magaldi, pela orientação de sherpa na viagem ao mundo interior;

José Balestrini, pela excelência fraterna do trabalho árduo entre Oriente e Ocidente;

Luiz Inácio Lula da Silva, pela insistência na alforria odara;

Julio Tollendal Gomes Ribeiro, meu primeiro e eterno xamã;

Luisa Tollendal Prudente, nossa sábia druida medieval;

Edson Sarques Prudente, pela solidez do amor tranquilo;

Célia, Leonardo, João Paulo e Gabriela Costa Braga, por toda a luz;

Flávio Lobo, pela interlocução inquieta, fértil e genuína;

Cecília Hedin-Pereira, pela profunda sensibilidade e indômita verdade;

Lilia Moritz e Luiz Schwarcz, pela confiança renovada e sonho aceso;

Dráulio de Araújo, Luís Fernando Tófoli, Stevens Rehen e Marcelo Leite, pela fraternidade revolucionária: *love first*!

Ichiro Takahashi e Lourenço Bustani, guardiões guerreiros da dissolução do eu;

Ailton Krenak, pela lucidez firme que ensina a adiar o fim do mundo;

Pedro Roitman, pela pureza matemática da alma sempre jovem;

Silvia, Tainá, Juliana e Pietra Rossi, as quatro fantásticas;

Mestre Caxias, pelos ensinamentos de vida, mandinga e dendê;

Eduardo Sampaio, Clécio Dias e Gabriel Lacombe: um por todos e todos por um!

Mestres João Grande, Paulinho Sabiá, Ramos, Gildo Alfinete, Curumim, Balão, Sabiá da Bahia e mestra Lilu, pela sabedoria ancestral;

Mestre João Angoleiro e contramestra Flávia Soares, pela impecável afroconstrução de nossas crianças;

Mestres Bule-Bule, Marcos, Vera Santana e Lia de Itamaracá, pela conexão entre passado e futuro;

Alceu Chiesorin Nunes, Ale Kalko, Ariadne Martins, Cintia Oliveira, Julia Passos, Lucila Lombardi, Malu Romani, Marina Munhoz, Mariana Metidieri, Priscila Tioma, Samantha Monteiro e Tomoe Moroizumi, pelo exímio cuidado em todas as etapas de produção do livro e pela paciência infinita.

Este livro também se alimentou da troca de ideias, inspiração, resultados, clarões, conselhos, cuidados, exemplos e contraexemplos, presencialmente, por texto ou por audiovisual, com Adriano Tort, Alejandro Jodorowsky, Alexei Suárez Soares, Allan Kardec Barros, Allison Sloan, Alvamar Medeiros, Alyane Almeida de Araújo, Amanda Feilding, Ana Beatriz Presgrave, Ana Elvira Azevedo de Oliveira, Ana Estela Haddad, Ana Lúcia Mello, Ana Paola Otoni, Ana Raquel Torres, André Luiz Oliveira, André Maya, Andrei Queiroz, Andrei Suárez Soares, Ângela Maria Paiva Cruz, Angelita Araújo, Annie da Costa Souza, Ann Kristina Hedin, Antonio Prata, Antonio Rodrigo Machado, Antonio Peticov, Ariel Kostman, Armênio Aguiar, Artur Jaccoud Theodoro, Arthur Omar, BaianaSystem, Beatriz Labate, Bela Gil, Biraci Júnior Yawanawá, Bradley Simmons, Branca Vianna, Bruno Lobão, Bruno Ramos Gomes, Bruno Torturra, Caetano Veloso, Carl Hart, Carlos Alberto Corá, Carolina Damasio, Cauê Martins, Célia Maria Costa Braga, Célio Chaves, Cesar Rennó-Costa, Christian Dunker, Christiane Brasileiro do Valle, Cicero Félix,

Cilene Rodrigues, Cilene Vieira, Clancy Cavnar, Clarissa Maya, Claudia Domingues Vargas, Claudia Linhares, Claudia Kober, Claudio Angelo, Claudio Bellini, Claudio Maya, Claudio Mello, Claudio Queiroz, Cristiana Schettini Pereira, Cristiano Maronna, Cristine Barreto, Dadão, Daiane Golbert, Dalva Alencar, Dan Frank, Daniel Brandão, Daniel Galera, Daniel Hahn, Daniel Takahashi, Dartiu Xavier da Silveira, Débora Costa Araújo, Débora Sá, Demetris Papadimitropoulos, Denis Burgierman, Diego Laplagne, Diego Leite, Digessila Bezerra Mota, Dina Di, Dionir Lima, Djamila Ribeiro, Eduarda Alves Ribeiro, Eliane Dias, Eduardo Bouth Sequerra, Eduardo Faveret, Eduardo Rombauer, Eduardo Schenberg, Elisa Dias, Elisa Elsie, Elisangela Xavier Souza, Elta Dourado, Elza Soares, Emanuel Aragão, Emicida, Emílio Figueiredo, Ennio Candotti, Eduardo Giannetti, Érico dos Santos Junior, Erivan Melo, Estrela Santos, Ernesto van Peborgh, Ernesto Saias Soares, Ernesto Soto, Estevão Ciavatta, Everton Dantas, Eunice Maria Fernandes Personini, Fabiana Alvarenga, Fabiana Werneck, Fabio Presgrave, Fabio Toniolo, Felipe Pegado, Fernanda Camargo, Fernanda Diamant, Fernanda Palhano, Fernanda Sobral, Fernando Haddad, Fernando Quintino, Fernando Rinaldi, Fernando Tollendal Bezerra, Fernando Tollendal Pacheco, Fiona Araújo, Fióti, Flávia Ribeiro, Flavia Vivacqua, Francisco Jardim, Frederico Prudente, Gabriela Moncau, George Nascimento, Ghislaine Dehaene-Lambertz, Gilberto Gil, Glauber Medeiros, Glaucio Soares, Graziela Peres, Gregorio Duvivier, Guillaume Legrand, Guilherme Brockington, Guilherme Coelho, Guillermo Cecchi, Gustavo Conde, Hallisson "Foguete" Kauan, Helena Borges, Henrique Carneiro, Henrique Filho, Henrique Vieira, Hermano Vianna, Ignácio de Loyola Brandão, Ignácio Gendriz, Ildeu de Castro Moreira, Ingrid Farias, Iris Roitman, Isabel Wiessner, Ivana Bentes, Janaina Pantoja, Jefferson Neves Pereira, Jeni Vaitsman, Jimmy Wales, Joana Amador, Joana Prudente, João Moreira Salles, João Paulo Demasi, João Queiroz, João Ricardo Lacerda de Menezes, João Vogel, John Douglas, John Fontenele Araújo, José Daniel Diniz Melo, José Ivonildo do Rego, José Marcondes Luz Netto, José Miguel Wisnik, José Miguel Zandamela Mulima, Josione Batista, Joyce Pascowitch, Juliana Ávila de Souza, Juliana Barreto, Juliana Guerra, Juliana Pimenta, Júlio Delmanto, Julita Lemgruber, Katarina Leão, Kellen Marques, Kerstin Schmidt, Larissa Queiroz, Laurent Dardenne, Leandro Demori, Leni Almeida, Lotus Lobo, Luana Malheiros, Luciana Boiteux, Luciana Zaffalon, Luciano Roitman, Luciléia Queiroz do Nascimento, Ludmila Queiroz, Luiz Carlos Lisboa Theodoro, Luís Roberto

Ribeiro, Luiz Fernando Gouvea Labouriau, Luziânia Medeiros, Maite Greguol, Mani de Azevedo, Mano Brown, Marcela Peña, Marcello Dantas, Marcelo D2, Marcelo Gomes, Marcelo Pê, Marcelo Roitman, Marcelo Tollendal Alvarenga, Marcio Flavio Moraes Dutra, Marcio Roberto, Marco Marcondes de Moura, Marcos Romualdo Costa, Maria Antônia dos Santos, Maria Augusta Mota, Maria Bernardete Cordeiro de Sousa, Maria Cristina Nascimento, Maria Elizabeth Mori, Maria Helena Bezerra, Maria Helena da Silva Oliveira, Maria Flor, Maria Rita Kehl, Mariana Alves Ribeiro, Mariana Lacerda, Mariana Muniz, Mariano Sigman, Marielle Franco, Marília Marini, Marina Antongiovanni da Fonseca, Marina Jaccoud Theodoro, Marisa Mamede, Marlene Queiroz, Marta Mugnol, Martin Hilbert, Martin Hopenhayn, Mateus Aleluia, Matheus do Valle, Mauro Copelli, Max Santos, Mércia Greguol, mestre André Lacé, mestre João Fontes, mestre Preguiça (Wandenkolk Manoel de Oliveira), Michel Laub, Mireya Suárez, Mirinha e Larissa, Mizziara de Paiva, Naomar Almeida, Natália Bezerra Mota, Natália Bonavides, Nathália Oliveira, Nelson Vaz, Nivaldo Vasconcelos, Onildo Marini Filho, Oskar Metsavaht, Otávio Marques da Costa, Otavio Velho, Othon Anselmo, Patrícia Tollendal Pacheco, Patrick Coquerel, Paulo de Azevedo, Paulo Werneck, Pedro Andrade, Pedro Bial, Pedro Doria, Pedro Mello, Pedro Themoteo Alves Corrêa, Pepe Mujica, Pettersson Silva, Pio Figueiroa, Priscila Matos, Priscilla Kelly Barros, Radha Gopali, Rael, Raissa Ebert, Rafael Bittencourt, Rafael Figueiredo, Reinaldo Lopes, Renato Balão Cordeiro, Renato Filev, Renato Janine Ribeiro, Renato Lopes, Renato Malcher Lopes, Ricardina Almeida, Ricardo Chaves, Ricardo Nemer, Richardson Leão, Roberta Mugnol de Oliveira, Roberto Gambini, Roberto Lent, Rodrigo Neves Romcy Pereira, Roque Tadeu Gui, Rubens Naves, Rute Pinheiro, Sandro de Souza, Sergei Suárez Soares, Sérgio Alves Ribeiro, Sergio Arthuro Mota Rolim, Sérgio Mascarenhas, Sergio Neuenschwander, Sergio Rezende, Silvio de Albuquerque Mota, Sofia Roitman, Solange Sato Simões, Sylvia de Sousa Medeiros, Tarciso Velho, Tarso de Araújo, Teresinha Ferreira Mugnol, Tersio Greguol, Thiago Felipe de Oliveira, Thiago Maya, Tia Jô, Tiago Albertini Balbino, Tommy Horta, Valfrânio Queiroz, Vera Val, Vilma Alves Ribeiro, Vinícius Eulálio, Virginia Alonso, Virginia Vera, Waldo Vieira, Wilfredo Blanco, Yuri Suárez Soares e Zuleica Porto.

NOTAS

Todos os links foram acessados em 18 jan. 2022.

1. PERCEBER A OPORTUNIDADE DE MUDAR [pp. 7-22]

1. S. Vosoughi, D. Roy e S. Aral, "The Spread of True and False News Online". *Science*, Washington, v. 359, n. 6380, pp. 1146-51, 2018.
2. Thiago Amâncio, "Pandemia empurrou mais 118 milhões de pessoas para a fome no mundo em 2020". *Folha de S.Paulo*, 12 jul. 2021. Disponível em: <www1.folha.uol.com.br/mundo/2021/07/pandemia-empurrou-mais-118-milhoes-de-pessoas-para-a-fome-no-mundo-em-2020.shtml>.
3. Claudia Wallis, "Another Tragic Epidemic: Suicide". *Scientific American*, 1 ago. 2020. Disponível em: <scientificamerican.com/article/another-tragic-epidemic-suicide/>.
4. Dados disponíveis em: <ourworldindata.org/suicide>.
5. Simon Denyer e Akiko Kashiwagi, "Japan and South Korea See Surge of Suicides among Young Women, Raising New Questions about Pandemic Stress". *The Washington Post*, 29 nov. 2020. Disponível em: <washingtonpost.com/world/asia_pacific/japan-suicides-pandemic-women/2020/11/28/0617e3a2-fdbd-11ea-b0e4-350e4e60cc91_story.html>.
6. Barack Obama, "Remarks by the President on Research for Potential Ebola Vaccines". The White House, 2 dez. 2014. Disponível em: <obamawhitehouse.archives.gov/the-press-office/2014/12/02/remarks-president-research-potential-ebola-vaccines>. A fala de Obama em vídeo está disponível em: <edition.cnn.com/videos/politics/2020/04/10/barack-obama-2014-pandemic-comments-sot-ctn-vpx.cnn>.

7. Guilherme Werneck et al., "Mortes evitáveis por covid-19 no Brasil". Oxfam Brasil. Disponível em: <oxfam.org.br/especiais/mortes-evitaveis--por-COVID-19-no-brasil/>.
8. Giuliana de Toledo, "'A vacinação em si não conseguirá conter a Delta', afirma epidemiologista britânico". *O Globo*, 17 ago. 2021. Disponível em: <oglobo.globo.com/saude/medicina/a-vacinacao-em-si-nao-conseguira-conter-delta-afirma-epidemiologista-britanico-25157900>.
9. "Does the Public Want to Get a Covid-19 Vaccine? When?". KFF. Disponível em: <kff.org/coronavirus-covid-19/dashboard/kff-covid-19-vaccine-monitor-dashboard/>; S. Cabral, N. Ito e L. Pongeluppe, "The Disastrous Effects of Leaders in Denial: Evidence from the Covid-19 Crisis in Brazil". *SSRN*, 28 abr. 2021.
10. "Ten Richest Men Double Their Fortunes in Pandemic while Incomes of 99 Percent of Humanity Fall". Oxfam International, 17 jan. 2022. Disponível em: <oxfam.org/en/press-releases/ten-richest-men-double-their-fortunes-pandemic-while-incomes-99-percent-humanity>.
11. "Dragon: Sending Humans and Cargo into Space". SpaceX. Disponível em: <spacex.com/vehicles/dragon/>.
12. Jackie Wattles, "Jeff Bezos and Richard Branson Went to Space. What's Next?". CNN Business, 21 jul. 2021. Disponível em: <edition.cnn.com/2021/07/21/tech/jeff-bezos-richard-branson-space-what-next-scn/index.html>.
13. "World in the Midst of a 'Hunger Pandemic': Conflict, Coronavirus and Climate Crisis Threaten to Push Millions into Starvation". Oxfam. Disponível em: <oxfam.org/en/world-midst-hunger-pandemic-conflict--coronavirus-and-climate-crisis-threaten-push-millions>.
14. Aimee Picchi, "Billionaires Got 54% Richer during Pandemic, Sparking Calls for 'Wealth Tax'". CBS News, 31 mar. 2021. Disponível em: <cbsnews.com/news/billionaire-wealth-covid-pandemic-12-trillion-jeff--bezos-wealth-tax/>.
15. John de Graaf, David Wann e Thomas H. Naylor, *Affluenza: The All--Consuming Epidemic*. Oakland: Berrett-Koehler, 2005.
16. Liev Tolstói, *Anna Kariênina*. São Paulo: Companhia das Letras, 2017, p. 14.
17. A. Schirmer e R. Adolphs, "Emotion Perception from Face, Voice, and Touch: Comparisons and Convergence". *Trends in Cognitive Sciences*, Amsterdam, v. 21, n. 3, pp. 216-28, 2017.
18. M. W. Kraus, Stéphane Côté e Dacher Keltner, "Social Class, Contex-

tualism, and Empathic Accuracy". *Psychological Science*, Washington, v. 21, n. 11, pp. 1716-23, 2010.
19. Paul K. Piff et al., "Higher Social Class Predicts Increased Unethical Behavior". *Proceedings of the National Academy of Sciences*, Washington, v. 109, n. 11, pp. 4086-91, 2012.
20. M. Kouchaki, K. Smith-Crowe, A. P. Brief e C. Sousa, "Seeing Green: Mere Exposure to Money Triggers a Business Decision Frame and Unethical Outcomes". *Organizational Behavior and Human Decision Processes*, Amsterdam, v. 121, n. 1, pp. 53-61, 2013.
21. Blake Ellis, "Just Thinking about Money Can Corrupt You". CNN Money, 17 jun. 2013. Disponível em: <money.cnn.com/2013/06/17/pf/money-corrupt/index.html?iid=HP_LN>.
22. S. S. Luthar, "The Culture of Affluence: Psychological Costs of Material Wealth". *Child Development*, Chicago, v. 74, n. 6, pp. 1581-93, 2003.
23. L. D. Johnston, P. M. O'Malley e J. G. Bachman. *National Survey Results on Drug Use from The Monitoring the Future Study (1975-1997)*. Rockville: National Institute on Drug Abuse, 1998. v. 1: Secondary School Students.
24. T. Huijts et al., "The Social and Behavioural Determinants of Health in Europe: Findings from the European Social Survey (2014) Special Module on the Social Determinants of Health". *European Journal of Public Health*, Oxford, v. 27, n. sup. 1, pp. 55-62, 2017.
25. M. T. Vizzari et al., "A Revised Model of Anatomically Modern Human Expansions Out of Africa through a Machine Learning Approximate Bayesian Computation Approach". *Genes*, Basel, v. 11, n. 12, p. 1510, 2020; L. A. Zhivotovsky, N. A. Rosenberg e M. W. Feldman, "Features of Evolution and Expansion of Modern Humans, Inferred from Genomewide Microsatellite Markers". *American Journal of Human Genetics*, Chicago, v. 72, n. 5, pp. 1171-86, 2003; Gary Stix, "The Migration History of Humans: DNA Study Traces Human Origins Across the Continents". *Scientific American*, Nova York, jul. 2008. Disponível em: <scientificamerican.com/article/the-migration-history-of-humans/>.
26. Thomas Litt, Jürgen Richter e Frank Schäbitz, *The Journey of Modern Humans from Africa to Europe: Culture-Environmental Interaction and Mobility*. Stuttgart: Schweizerbart Science Publishers, 2021.
27. Y. Fernández-Jalvo, J. Carlos Díez, I. Cácere e J. Rosell, "Human Cannibalism in the Early Pleistocene of Europe (Gran Dolina, Sierra de

Atapuerca, Burgos, Spain)". *Journal of Human Evolution*, Londres, v. 37, n. 3-4, pp. 591-622, set.-out. 1999; S. M. Bello et al., "Upper Palaeolithic Ritualistic Cannibalism at Gough's Cave (Somerset, UK): The Human Remains from Head to Toe". *Journal of Human Evolution*, Londres, v. 82, pp. 170-89, maio 2015; S. M. Bello, R. Wallduck, S. A. Parfitt S. A. e C. B. Stringer, "An Upper Palaeolithic Engraved Human Bone Associated with Ritualistic Cannibalism". *PLoS One*, San Francisco, v. 12, n. 8, e0182127, ago. 2017.

28. S. Borgel et al., "Early Upper Paleolithic Human Foot Bones from Manot Cave, Israel". *Journal of Human Evolution*, Londres, v. 160, 2021.

29. B. Mullen e H. Li-Tze, "Perceptions of Ingroup and Outgroup Variability: A Meta-Analytic Integration". *Basic and Applied Social Psychology*, Hillsdale, v. 10, n. 3, pp. 233-52, 1989; H. Tajfel, "Social Identity and Intergroup Behaviour". *Social Science Information*, Paris, v. 13, n. 2, pp. 65-93, 1974; A. J. Golby et al., "Differential Responses in the Fusiform Region to Same-Race and Other-Race Faces". *Nature Neuroscience*, Londres, v. 4, n. 8, pp. 845-50, ago. 2001.

2. COMPREENDER A URGÊNCIA DO MOMENTO [pp. 23-36]

1. "Global Warming of 1.5 °C". IPCC, 6 out. 2018. Disponível em: <ipcc.ch/sr15/>.

2. Dados colhidos pelo sistema MapBiomas Alert, disponíveis em: <alerta.mapbiomas.org/en?cama_set_language=em>.

3. L. V. Gatti et al., "Amazonia as a Carbon Source Linked to Deforestation and Climate Change". *Nature*, Londres, v. 595, n. 7867, pp. 388-93, jul. 2021.

4. T. E. Lovejoy e C. Nobre, "Amazon Tipping Point: Last Chance for Action". *Science Advances*, Washington, v. 5, n. 12, eaba2949, 20 dez. 2019.

5. Denise Breitburg et al., "Declining Oxygen in the Global Ocean and Coastal Waters". *Science*, Washington, v. 359, n. 6371, eaam72405, jan. 2018.

6. Navin Singh Khadka, "African Covid Patients 'Dying from Lack of Oxygen'". BBC World, 16 jun. 2021. Disponível em: <bbc.com/news/world-africa-57501127>; Richard Pérez-Peña, "Why Some Hospitals Lack the Oxygen to Keep Patients Alive". *New York Times*, Nova York, 4 maio 2021. Disponível em: <nytimes.com/2021/05/04/world/oxygen-shortage-covid.html>; Kristen Holmes e Aya Elamroussi, "First, Surges

in Covid-19 Infections Led to Shortages of Hospital Beds and Staff. Now It's Oxygen". CNN, 30 ago. 2021. Disponível em: <edition.cnn.com/2021/08/29/health/us-coronavirus-sunday/index.html>.
7. Mia Couto e José Eduardo Agualusa, "Duas pandemias?". *Carta de Moçambique*, 29 nov. 2021. Disponível em: <cartamz.com/index.php/blogs/item/9401-duas-pandemias>.
8. "Prime Minister Mia Amor Mottley Barbados, Addresses the United Nations 2021". YouTube, 24 set. 2021. Disponível em: <youtube.com/watch?v=0HKdl_wwYoc>.
9. David Graeber e David Wengrow, *A aurora de tudo: Uma nova história da humanidade*. São Paulo: Companhia das Letras, 2022. No prelo; Fernando Haddad, *O terceiro excluído: Contribuição para uma antropologia dialética*. Rio de Janeiro: Zahar, 2022. No prelo.
10. "Poverty Rate by Country 2021". World Population Review, 2022. Disponível em: <worldpopulationreview.com/country-rankings/poverty-rate-by-country>.
11. Departamento das Nações Unidas para Assuntos Econômicos e Sociais, "UNDESA World Social Report 2020". UNDESA, 2020. Disponível em: <un.org/development/desa/dspd/world-social-report/2020-2.html>.
12. N. Duan et al., "Genome Re-Sequencing Reveals the History of Apple and Supports a Two-Stage Model for Fruit Enlargement". *Nature Communications*, Londres, v. 8, n. 1, p. 249, ago 2015; A. R. Perri, "Dog Domestication and the Dual Dispersal of People and Dogs into the Americas". *Proceedings of the National Academy of Sciences*, Washington, v. 118, n. 6, e2010083118, 2021; G. Ren et al., "Large-Scale Whole-Genome Resequencing Unravels the Domestication History of *Cannabis sativa*". *Science Advances*, Washington, v. 7, n. 29, eabg2286, 2021.
13. T. S. Simonson et al., "Genetic Evidence for High-Altitude Adaptation in Tibet". *Science*, Washington, v. 329, n. 5987, pp. 72-5, jul. 2010; Zhang X et al., "The History and Evolution of the Denisovan-EPAS1 Haplotype in Tibetans". *Proceedings of the National Academy of Sciences*, Washington, v. 118, n. 22, 1 jun. 2021.
14. "A World of Total Illusion & Fantasy: Noam Chomsky on the Future of the Planet". *The Financial Express*, 13 jul. 2021. Disponível em: <thefinancialexpress.com.bd/views/a-world-of-total-illusion-fantasy-1626187421>.
15. Brendan O'Malley, "Three Crises Threaten Human Survival, Chomsky

Warns". University World News, 12 dez. 2020. Disponível em: <universityworldnews.com/post.php?story=20201212053831736>.
16. G. Ceballos e P. R. Ehrlich, "The Misunderstood Sixth Mass Extinction". *Science*, Washington, v. 360, n. 6393, pp. 1080-81, jun. 2018.
17. Ethnologue: Languages of the World. Disponível em: <ethnologue.com>.
18. Unesco Atlas of the World's Languages in Danger. Disponível em: <www.unesco.org/culture/languages-atlas>.
19. R. Cámara-Leret e J. Bascompte, "Language Extinction Triggers the Loss of Unique Medicinal Knowledge". *Proceedings of the National Academy of Sciences*, Washington, v. 118, n. 24, e2103683118, jun. 2021.
20. Angela Fritz e Rachel Ramirez, "Earth Is Warming Faster than Previously Thought, Scientists Say, and the Window Is Closing to Avoid Catastrophic Outcomes". CNN, 9 ago. 2021. Disponível em: <edition.cnn.com/2021/08/09/world/global-climate-change-report-un-ipcc/index.html>.
21. "Transcript: Greta Thunberg's Speech at the U.N. Climate Action Summit". NPR, 23 set. 2019. Disponível em: <npr.org/2019/09/23/763452863/transcript-greta-thunbergs-speech-at-the-u-n-climate-action-summit>.
22. P. L. Pingali, "Green Revolution: Impacts, Limits, and the Path Ahead". *Proceedings of the National Academy of Science*, Washington, v. 109, n. 31, pp. 12302-8, jul. 2012.
23. O. S. von Ehrenstein et al., "Prenatal and Infant Exposure to Ambient Pesticides and Autism Spectrum Disorder in Children: Population Based Case-Control Study". *British Medical Journal*, Londres, v. 364, 2019.
24. D. K. A. Barnes et al., "Accumulation and Fragmentation of Plastic Debris in Global Environments. *Philosophical Transactions of the Royal Society B: Biological Sciences*, Londres, v. 364, n. 1526, pp. 1985-98, 2009; E. Danopoulos et al., "Microplastic Contamination of Seafood Intended for Human Consumption: A Systematic Review and Meta-Analysis". *Environmental Health Perspectives*, Durham, v. 128, n. 12, 23 dez. 2020; Nicole W., "Microplastics in Seafood: How Much Are People Eating?". *Environmental Health Perspectives*, Durham, v. 129, n. 3, 17 mar. 2021; E. Danopoulos et al., "A Rapid Review and Meta-Regression Analyses of the Toxicological Impacts of Microplastic Exposure in Human Cells". *Journal of Hazardous Materials*, v. 427, 5 abr. 2022.

25. Eliane Brum, *Banzeiro òkòtó: Uma viagem à Amazônia Centro do Mundo*. São Paulo: Companhia das Letras, 2021, pp. 9, 338.

3. CURAR NOSSA PIOR ANCESTRALIDADE [pp. 37-49]

1. "Tribunal Penal Internacional começa a analisar denúncia contra Bolsonaro por crimes contra a humanidade e incitação ao genocídio de povos indígenas no Brasil". Apib, 15 dez. 2020. Disponível em: <apiboficial.org/2020/12/15/tribunal-penal-internacional-comeca-a-analisar-denuncia-contra-bolsonaro-por-crimes-contra-a-humanidade-e-incitac%cc%a7a%cc%83o-ao-genocidio-de-povos-indigenas-no-brasil/>.
2. Fernando Haddad, *O terceiro excluído*, op. cit.
3. Jane Goodall, *The Chimpanzees of Gombe: Patterns of Behavior*. Cambridge: Harvard University Press, 1986.
4. A. E. Lowe et al., "Intra-Community Infanticide in Wild, Eastern Chimpanzees: A 24-Year Review". *Primates*, Tóquio, v. 61, n. 1, pp. 69-82, jan. 2020.
5. T. Thornton, "More on a Murder: The Deaths of the 'Princes in the Tower', and Historiographical Implications for the Regimes of Henry VII and Henry VIII". *History*, Londres, v. 106, n. 369, pp. 4-25, 2020.
6. T. Romero, M. A. Castellanos e F. B. de Waal, "Consolation as Possible Expression of Sympathetic Concern among Chimpanzees". *Proceedings of the National Academy of Sciences*, Washington, v. 107, n. 27, pp. 12110-5, jul 2010.
7. Frans de Waal, *O último abraço da matriarca: As emoções dos animais e o que elas revelam sobre nós*. Rio de Janeiro: Zahar, 2021; *Chimpanzee Politics: Power and Sex among Apes*. Baltimore: The Johns Hopkins University Press, 1998; *The Bonobo and the Atheist: In Search of Humanism among the Primates*. Nova York: W. W. Norton, 2014.
8. A. J. Barker et al., "Cultural Transmission of Vocal Dialect in the Naked Mole-Rat". *Science*, Washington, v. 371, n. 6528, pp. 503-7, jan. 2021.
9. M. L. Wilson et al., "Lethal Aggression in *Pan* Is Better Explained by Adaptive Strategies than Human Impacts". *Nature*, Londres, v. 513, n. 7518, pp. 414-7, set. 2014.
10. Nakagawa Masako, "Sankai Ibutsu: An Early Seventeenth-Century

Japanese Illustrated Manuscript". *Sino-Japanese Studies*, Vancouver, v. 11, n. 2, pp. 24-38 e 33-34, 1999; Hori Tadao, "Cultural Note on Dreaming and Dream Study in the Future: Release from Nightmare and Development of Dream Control Technique". *Sleep and Bilogical Rhythms*, Oxford, v. 3, n. 2, pp. 49-55, maio 2005.
11. *O Mahabharata*. 2. ed. São Paulo: Cultrix, 2014.
12. Roshen Dalal, *The Religions of India: A Concise Guide to Nine Major Faiths*. Londres: Penguin, 2011, p. 148.

4. HONRAR NOSSA MELHOR ANCESTRALIDADE [pp. 51-64]

1. Yuval Harari, *Sapiens: Uma breve história da humanidade*. São Paulo: Companhia das Letras, 2020, p. 30.
2. Flávio dos Santos Gomes, Jaime Lauriano e Lilia Moritz Schwarcz, *Enciclopédia negra: Biografias afro-brasileiras*. São Paulo: Companhia das Letras, 2021, pp. 434-5.
3. M. R. Assunção, "Engolo e capoeira: Jogos de combate étnicos e diaspóricos no Atlântico Sul". *Tempo*, Niterói, v. 26, n. 3, pp. 523-56, set.-dez. 2020.
4. Flávio dos Santos Gomes, Jaime Lauriano e Lilia Moritz Schwarcz, *Enciclopédia negra*, op. cit., pp. 429-30.
5. Frederico José de Abreu, *"Bimba é bamba": A capoeira no ringue*. Salvador: Instituto Jair Moura, 1999.
6. Mestre Bimba, *Curso de Capoeira Regional*. Salvador: JS Discos, 1969. LP; Paulo César Pinheiro, *Capoeira de Besouro*. Rio de Janeiro: Quitanda, 2010. CD; Mestre João Grande, *Álbum completo*. [S.l.]: Capoeira Senzala Toulouse, 2015.
7. Laurentino Gomes, *Escravidão: Do primeiro leilão de cativos em Portugal até a morte de Zumbi dos Palmares*. São Paulo: Globo, 2019. v. 1; Id., *Escravidão: Da corrida do ouro em Minas Gerais até a chegada da corte de dom João ao Brasil*. São Paulo: Globo, 2021. v. 2.
8. Carlos Eugênio Líbano Soares, *A capoeira escrava e outras tradições rebeldes no Rio de Janeiro (1808-1850)*. 2. ed. Campinas: Editora da Unicamp, 2004.
9. Id., *A negregada instituição: Os capoeiras no Rio de Janeiro*. Rio de Janeiro: Prefeitura da Cidade do Rio de Janeiro, Secretaria Municipal de Cultura, 1994.

10. E. C. Martiniano et al., "Musical Auditory Stimulus Acutely Influences Heart Rate Dynamic Responses to Medication in Subjects with Well-Controlled Hypertension". *Scientific Reports*, Londres, v. 8, n. 1, p. 958, jan. 2018.
11. "Lapinha Museu Vivo 2019 — Mestre João Angoleiro". YouTube, 26 maio 2019. Disponível em: <youtube.com/watch?v=QutHJeo0Hxs>.

5. ASSUMIR NOSSO LUGAR NO UNIVERSO [pp. 65-88]

1. David Graeber e David Wengrow, *A aurora de tudo*, op. cit.
2. Davi Kopenawa e Bruce Albert, *A queda do céu: Palavras de um xamã yanomami*. São Paulo: Companhia das Letras, 2017, p. 390.
3 Ibid., p. 407.
4. Reginaldo Prandi, *Mitologia dos orixás*. São Paulo: Companhia das Letras, 2000, pp. 517-8.
5. Chimamanda Ngozi Adichie, *O perigo de uma história única*. São Paulo: Companhia das Letras, 2019.
6. S. Borgel et al., "Early Upper Paleolithic Human Foot Bones from Manot Cave, Israel", op. cit.
7. C. S. Carter, "The Oxytocin-Vasopressin Pathway in the Context of Love and Fear". *Frontiers in Endocrinology*, Lausanne, v. 8, n. 356, dez. 2017.
8. A. C. Pisor e M. Surbeck, "The Evolution of Intergroup Tolerance in Nonhuman Primates and Humans". *Evolutionary Anthropology*, Nova York, v. 28, n. 4, pp. 210-23, jul. 2019.
9. David Graeber e David Wengrow, *A aurora de tudo*, op. cit.
10. "Símbolo da fome no Iêmen, menina de 7 anos morre perto de hospital". Metrópoles, 3 nov. 2018. Disponível em: <metropoles.com/mundo/simbolo-da-fome-no-iemen-menina-de-7-anos-morre-perto-de-hospital>.
11. "Um ano depois da morte da menina Ágatha, mais 28 crianças foram baleadas no Grande RJ". Brasil de Fato, 21 set. 2020. Disponível em: <brasildefato.com.br/2020/09/21/um-ano-depois-da-morte-da-menina-agatha-mais-28-criancas-foram-baleadas-na-grande-rj>.
12. Conceição Evaristo, *Poemas da recordação e outros movimentos*. Rio de Janeiro: Malê, 2017, pp. 10-1.
13. Mário Theodoro, *A sociedade desigual: Racismo e branquitude na formação do Brasil*. Rio de Janeiro: Zahar. No prelo.

14. *I Ching*. Ed. definitiva pelo mestre taoista Alfred Huang. São Paulo: Martins Fontes, 2007.
15. Agenor Miranda Rocha, *Caminhos de Odu*. São Paulo: Pallas, 2021.
16. *I Ching*, op. cit.
17. Davi Kopenawa e Bruce Albert, *A queda do céu*, op. cit., p. 125.
18. Ibid., p. 124; Bruce Albert e William Milliken, *Urihi A: A terra-floresta Yanomami*. São Paulo: Instituto Socioambiental, 2009, pp. 62-3; Otto Loewi, "The Chemical Transmission of Nerve Action", 1936. The Nobel Prize. Disponível em: <nobelprize.org/prizes/medicine/1936/loewi/lecture/>.
19. W. B. Walker, "Treatment of Myasthenia Gravis with Physostigmine". *The Lancet*, Londres, v. 223, n. 5779, pp. 1200-1, 1934.
20. Paul Feyerabend, *Contra o método*. 2. ed. São Paulo: Editora Unesp, 2011.
21. Id., *Knowledge, Science and Relativism: Philosophical Papers*. Cambridge University Press, p. 221, 2008. v. 3.
22. A. Jawaid, M. Roszkowski e I. M. Mansuy, "Transgenerational Epigenetics of Traumatic Stress". *Progress in Molecular Biology and Translational Science*, Cambridge, n. 158, pp. 273-98, 2018; N. P. Kellermann, "Epigenetic Transmission of Holocaust Trauma: Can Nightmares Be Inherited?". *Israel Journal of Psychiatry and Related Sciences*, Jerusalém, v. 50, n. 1, pp. 33-9, 2013.
23. Jeremy Narby, *A serpente cósmica: O DNA e a origem do conhecimento*. Rio de Janeiro: Dantes, 2020.

6. SONHAR O FUTURO DA VIDA [pp. 89-104]

1. James Baldwin, *The Fire Next Time*. Nova York: Vintage International, 1993. Tradução livre.
2. "Elon Musk REVEALS Tesla Bot (Full Presentation)". YouTube, 19 ago. 2021. Disponível em: <youtube.com/watch?v=HUP6Z5voiS8>.
3. Isaac Asimov, *Eu, robô*. São Paulo: Aleph, 2014; "*Soylent Green*". Wikipédia. Disponível em: <en.wikipedia.org/wiki/Soylent_Green>; Arthur C. Clark, *2001: Uma odisseia no espaço*. São Paulo: Aleph, 2015; *Matrix*, dir. Andy e Larry Wachowski, 1999; *Ex Machina*, dir. Alex Garland, 2014; Daniel Galera, "Tóquio". In: _____. *O deus das avencas*. São Paulo: Companhia das Letras, 2021.

4. Greta Thunberg, "I Have a Dream that the Powerful Take the Climate Crisis Seriously. The Time for Their Fairytales is Over". *The Independent*, 20 set. 2019. Disponível em: <independent.co.uk/voices/greta-thunberg-congress-speech-climate-change-crisis-dream-a9112151.html>.

5. Lilly Workneh, "Angela Davis and Gloria Steinem on the Power of Revolutionary Movements". Huffington Post, 6 mar. 2016. Disponível em: <huffpost.com/entry/angela-davis-gloria-steinem-power-of-revolutionary-movements_n_57511492e4b0eb20fa0d900c>.

6. The Giving Pledge. Disponível em: <givingpledge.org/>.

7. Laurel Wamsley, "MacKenzie Scott Is Giving Away Another $2.7 Billion to 286 Organizations". NPR, 15 jun. 2021. Disponível em: <npr.org/2021/06/15/1006829212/mackenzie-scott-is-giving-away-another-2-7-billion-to-286-organizations>.

8. A. R. Torres et al., "Selective Inhibition of Mirror Invariance for Letters Consolidated by Sleep Doubles Reading Fluency". *Current Biology*, Nova York, v. 31, n. 4, pp. 742-52, fev. 2021; T. Cabral et al., "Post-Class Naps Boost Declarative Learning in a Naturalistic School Setting". *NPJ Science of Learning*, Londres, v. 3, n. 14, 2018; M. Sigman, M. Peña, A. P. Goldin e S. Ribeiro, "Neuroscience and Education: Prime Time to Build the Bridge". *Nature Neuroscience*, Londres, v. 17, pp. 497-502, 2014; S. Ribeiro e R. Stickgold, "Sleep and School Education". *Trends in Neuroscience and Education*, Amsterdam, v. 3, pp. 18-23, 2014; N. Lemos, J. Weissheimer e S. Ribeiro, "Naps in School Can Enhance the Duration of Declarative Memories Learned by Adolescents". *Frontiers in Systems Neuroscience*, Lausanne, v. 8, p. 103, 2014.

9. Michel de Desmurget, *La Fabrique du crétin digital: Les Dangers des écrans pour nos enfants*. Paris: Seuil, 2019; A. G. Jorgenson, R. C. Hsiao e C. F. Yen, "Internet Addiction and Other Behavioral Addictions". *Child and Adolescent Psychiatric Clinics of North America*, Amsterdam, v. 25, n. 3, pp. 509-20, jul. 2016; L. Lund et al., "Electronic Media Use and Sleep in Children and Adolescents in Western Countries: A Systematic Review". *BMC Public Health*, Londres, v. 21, n. 1, p. 1598, set. 2021.

10. S. Vosoughi, D. Roy e S. Aral, "The Spread of True and False News Online", op. cit.

11. A. Zhen et al., "Manual Directional Gestures Facilitate Cross-Modal Perceptual Learning". *Cognition*, Amsterdam, n. 187, pp. 178-87, jun. 2019.

12. G. Brockington et al., "Storytelling Increases Oxytocin and Positive Emotions and Decreases Cortisol and Pain in Hospitalized Children". *Proceedings of the National Academy of Sciences*, Washington, v. 118, n. 22, e2018409118, jun. 2021.
13. J. M. Kane et al., "Comprehensive versus Usual Community Care for First-Episode Psychosis: 2-Year Outcomes from the NIMH Raise Early Treatment Program". *American Journal of Psychiatry*, Washington, v. 173, n. 4, pp. 362-72, 2016; J. Fuentes et al., "Enhanced Therapeutic Alliance Modulates Pain Intensity and Muscle Pain Sensitivity in Patients with Chronic Low Back Pain: An Experimental Controlled Study". *Physical Therapy*, Alexandria, v. 94, n. 4, pp. 477-89, 2014.
14. Declaração Universal dos Direitos Humanos. Disponível em: <https://declaracao1948.com.br/declaracao-universal/declaracao-direitos-humanos/?gclid=EAIaIQobChMIor7nkaKQ8wIVl4WRCh3IQwxhEAAYASAAEgI0DPD_BwE>.
15. L. Carbone. "Estimating Mouse and Rat Use in American Laboratories by Extrapolation from Animal Welfare Act-Regulated Species". *Scientific Reports*, Londres, v. 11, n. 1, p. 493, jan. 2021.
16. J. R. Homberg et al., "The Continued Need for Animals to Advance Brain Research". *Neuron*, Boston, v. 109, n. 15, pp. 2374-70, ago. 2021.
17. Rebecca Goldburg, "Scientists Find that 30% of Global Fish Catch Is Unreported". Pew, 19 jan. 2016. Disponível em: <pewtrusts.org/en/research-and-analysis/articles/2016/01/19/scientists-find-that-30-percent-of-global-fish-catch-is-unreported>.
18. D. Pauly e D. Zeller, "Catch Reconstructions Reveal That Global Marine Fisheries Catches Are Higher than Reported and Declining". *Nature Communications*, Londres, v. 7, n. 10244, 2016. Disponível em: <nature.com/articles/ncomms10244>.

7. BUSCAR A PLENITUDE DA MENTE INCORPORADA [pp. 105-24]

1. Krishna Dvapayana Vyasa, *Bhagavad Gita*. São Paulo: Martin Claret, 2019, pp. 175-6.
2. *O Papalagui*. Trad. Samuel Penna Aarão Reis. São Paulo: Marco Zero, 2003.
3. Davi Kopenawa e Bruce Albert, *A queda do céu*, op. cit., p. 217.
4. Ibid., p. 460.

5. M. McLaughlin et al., "Worldwide Surveillance of Self-Reported Sitting Time: A Scoping Review". *International Journal of Behavioral Nutrition and Physical Activity*, Londres, v. 17, n. 1, p. 111, set. 2020.
6. S. R. Nyman et al., "Randomised Controlled Trial of the Effect of Tai Chi on Postural Balance of People with Dementia". *Clinical Interventions in Aging*, Albany, v. 14, pp. 2017-29, 2019; E. Rivest-Gadbois e W. H. Boudrias, "What Are the Known Effects of Yoga on the Brain in Relation to Motor Performances, Body Awareness and Pain? A Narrative Review". *Complementary Therapies in Medicine*, Oxford, v. 44, pp. 129--42, 2019; C. K. Peng et al., "Heart Rate Dynamics during Three Forms of Meditation". *International Journal of Cardiology*, Shannon, v. 95, n. 1, pp 19-27, 2004; C. K. Peng et al., "Exaggerated Heart Rate Oscillations during Two Meditation Techniques". *International Journal of Cardiology*, Shannon, v. 70, n. 2, pp. 101-7, 1999; H. Benson et al., "Three Case Reports of the Metabolic and Electroencephalographic Changes during Advanced Buddhist Meditation Techniques". *Behavioral Medicine*, Washington, v. 16, n. 2, pp. 90-5, 1990; R. K. Wallace, "Physiological Effects of Transcendental Meditation". *Science*, Washington, v. 167, n. 3926, pp. 1751-4, 1970; J. C. Corby et al., "Psychophysiological Correlates of the Practice of Tantric Yoga Meditation". *Archives of General Psychiatry*, Chicago, v. 35, n. 5, pp. 571-7, 1978.
7. A. B. L Tort et al., "Temporal Relations between Cortical Network Oscillations and Breathing Frequency during REM Sleep". *Journal of Neuroscience*, Bethesda, v. 41, n. 24, pp. 5229-42, 2021.
8. S. Campanelli, A. B. L. Tort e B. Lobão-Soares, "Pranayamas and Their Neurophysiological Effects". *International Journal of Yoga*, Bengaluru, v. 13, n. 3, pp. 183-92, 2020.
9. E. B. Viveiros de Castro, "Os pronomes cosmológicos e o perspectivismo ameríndio". *Mana: Estudos de Antropologia Social*, Rio de Janeiro, v. 2, n. 2, pp. 115-43, 1996; Id., "Perspectivismo e multiculturalismo na América indígena". In: Id., *A inconstância da alma selvagem e outros ensaios de antropologia*. São Paulo: Cosac Naify, 2002, pp. 347-99; P. Descola e J. Lloyd, *Beyond Nature and Culture*. Chicago: The University of Chicago Press, 2013; L. Costa e C. Fausto, "The Return of the Animists: Recent Studies of Amazonian Ontologies". *Religion and Society: Advances in Research*, Nova York, v. 1, n. 1, pp. 89-109, 2010.
10. *Upaniṣadas: Os doze textos fundamentais*. São Paulo: Mantra, 2020.

11. Timothy Conway, "Milarepa, Tibet's Great Yogi-Sage and Singing Saint", 2006. Disponível em: <enlightened-spirituality.org/Milarepa.html>.
12. G. Ren et al., "Large-Scale Whole-Genome Resequencing Unravels the Domestication History of *Cannabis sativa*", op. cit.
13. D. B. Araújo et al., "Seeing with the Eyes Shut: Neural Basis of Enhanced Imagery Following Ayahuasca Ingestion". *Human Brain Mapping*, Nova York, v. 33, n. 11, pp. 2550-60, 2012; F. Palhano-Fontes, "The Psychedelic State Induced by Ayahuasca Modulates the Activity and Connectivity of the Default Mode Network". *PLoS One*, San Francisco, v. 10, n. 2, e0118143, fev. 2015; R. L. Carhart-Harris et al., "Neural Correlates of the LSD Experience Revealed by Multimodal Neuroimaging". *Proceedings of the National Academy of Sciences*, Washington, v. 113, n. 17, pp. 4853-8, abr. 2017.
14. E. B. Russo, "Cannabis Therapeutics and the Future of Neurology". *Frontiers in Integrative Neuroscience*, Lausanne, v. 12, n. 51, out. 2018; F. Martinelli et al., "It Is Our Turn to Get Cannabis High: Put Cannabinoids in Food and Health Baskets". *Molecules*, Basel, v. 25, n. 18, p. 4036, set. 2020; K. A. Scott, A. G. Dalgleish e W. M. Liu, "The Combination of Cannabidiol and Δ9-Tetrahydrocannabinol Enhances the Anticancer Effects of Radiation in an Orthotopic Murine Glioma Model". *Molecular Cancer Therapeutics*, Filadélfia, v. 13, n. 12, pp. 2955-67, dez. 2014; N. Mangal et al., "Cannabinoids in the Landscape of Cancer". *Journal of Cancer Research and Clinical Oncology*, Berlim, v. 147, n. 9, pp. 2507-34, set. 2021.
15. M. A. Lewis, E. B. Russo e K. M. Smith, "Pharmacological Foundations of Cannabis Chemovars". *Planta Medica*, Stuttgart, v. 84, n. 4, pp. 225--33, mar. 2018.
16. V. Dakic et al., "Short Term Changes in the Proteome of Human Cerebral Organoids Induced by 5-MeO-DMT". *Scientific Reports*, Londres, v. 7, n. 1, out. 2017; R. V. Lima da Cruz, T. C. Moulin, L. L. Petiz e R. N. Leão, "A Single Dose of 5-MeO-DMT Stimulates Cell Proliferation, Neuronal Survivability, Morphological and Functional Changes in Adult Mice Ventral Dentate Gyrus". *Frontiers in Molecular Neuroscience*, Lausanne, v. 11, p. 312, set. 2018; C. Ly et al., "Psychedelics Promote Structural and Functional Neural Plasticity". *Cell Reports*, Cambridge, v. 23, n. 11, pp. 3170-82, 2018; A. Bilkei-Gorzo et al., "A Chronic Low Dose of delta(9)-Tetrahydrocannabinol (THC) Restores Cognitive Function in Old Mice". *Nature Medicine*, Londres, v. 23,

n. 6, pp. 782-7, jun. 2017; F. A. Cini et al., "d-Lysergic Acid Diethylamide Has Major Potential as a Cognitive Enhancer". bioRxiv, 6 dez. 2019; C. M. H. de Vos, N. L. Mason e K. P. C. Kuypers, "Psychedelics and Neuroplasticity: A Systematic Review Unraveling the Biological Underpinnings of Psychedelics". *Frontiers in Psychiatry*, Lausanne, v. 12, n. 724606, 2021.

17. N. L. Mason et al., "Spontaneous and Deliberate Creative Cognition during and after Psilocybin Exposure". *Translational Psychiatry*, Londres, v. 11, n. 209, 2021; J. C. Bouso et al., "Long-Term Use of Psychedelic Drugs is Associated with Differences in Brain Structure and Personality in Humans". *European Neuropsychopharmacology*, Amsterdam, v. 25, n. 4, pp. 483-92, abr. 2015.

18. F. A. Cini et al., "d-Lysergic Acid Diethylamide Has Major Potential as a Cognitive Enhancer", op. cit.

19. F. Palhano-Fontes et al., "Rapid Antidepressant Effects of the Psychedelic Ayahuasca in Treatment-Resistant Depression: A Randomized Placebo-Controlled Trial". *Psychological Medicine*, Cambridge, v. 49, n. 4, pp. 655-63, mar. 2019.

20. J. M. Mitchell et al., "MDMA-Assisted Therapy for Severe PTSD: A Randomized, Double-Blind, Placebo-Controlled Phase 3 Study". *Nature Medicine*, Londres, v. 27, n. 6, pp. 1025-33, jun. 2021.

21. Aldous Huxley, *As portas da percepção*. São Paulo: Globo, 2015; Michael Pollan, *Como mudar sua mente*. Rio de Janeiro: Intrínseca, 2018; Marcelo Leite, *Psiconautas: Viagens com a ciência psicodélica brasileira*. São Paulo: Fósforo, 2021; J. G. Shalom e I. M. Aderka, "A Meta-Analysis of Sudden Gains in Psychotherapy: Outcome and Moderators". *Clinical Psychology Review*, Nova York, v. 76, mar. 2020; Nise da Silveira, *Imagens do inconsciente*. Petrópolis: Vozes, 2015; A. C. Kline, A. A. Cooper, N. K. Rytwinski e N. C. Feeny, "Long-Term Efficacy of Psychotherapy for Posttraumatic Stress Disorder: A Meta-Analysis of Randomized Controlled Trials". *Clinical Psychology Review*, Nova York, v. 59, pp. 30-40, fev. 2018; S. C. Cook, A. C. Schwartz e N. J. Kaslow, "Evidence-Based Psychotherapy: Advantages and Challenges". *Neurotherapeutics*, Oxford, v. 14, n. 3, pp. 537-45, jul 2017; E. Driessen et al., "The Efficacy of Short-Term Psychodynamic Psychotherapy for Depression: A Meta-Analysis Update". *Clinical Psychology Review*, Nova York, v. 42, pp. 1-15, dez. 2015; H. Frumkin et al., "Nature Contact and Human Health: A Research Agenda". *Environmental Health*

Perspectives, Research Triangle Park, v. 125, n. 7, jul. 2017; Raissa Ebert, *Marterapia: Cuidados terapêuticos dentro do mar*. E-book, 2020; Ferdinando Testa, *La clinica delle immagini: Sogno e psicopatologia*. Bergamo: Moretti & Vitali, 2019.

22. Carl G. Jung, *Collected Works*. Princeton: Princeton University Press, 1966, p. 130. v. 15. Disponível em: <jungiancenter.org/speaking-in-primordial--images-part-1-jung-on-creativity-and-the-creative-process/#_ftn2>.

23. A. Jensen e L. O. Bonde, "The Use of Arts Interventions for Mental Health and Wellbeing in Health Settings". *Perspectives in Public Health*, Londres, v. 138, n. 4, pp. 209-14, jul. 2018; B. M. Savage, H. L. Lujan, R. R. Thipparthi e S. E. DiCarlo, "Humor, Laughter, Learning, and Health! A Brief Review". *Advances in Physiology Education*, Bethesda, v. 41, n. 3, pp. 341-7, set. 2017; S. C. Koch et al., "Effects of Dance Movement Therapy and Dance on Health-Related Psychological Outcomes: A Meta-Analysis Update". *Frontiers in Psychology*, Lausanne, v. 10, n. 1806, ago. 2019.

24. "Chico Ludermir entrevista Lia de Itamaracá no #TVPEnoar". YouTube, 11 mar. 2020. Disponível em: <youtube.com/watch?v=wX3W-fPTr9vc>.

25. Apud Christopher Turner, *Adventures in the Orgasmatron: Wilhelm Reich and the Invention of Sex*. Londres: Fourth Estate, 2011.

8. CONSTRUIR O CAMINHO [pp. 125-36]

1. Fiódor Dostoiévski, "O sonho de um homem ridículo". In: Id., *Duas narrativas fantásticas*. São Paulo: Editora 34, 2003.

2. Yuval Harari, *Sapiens*, op. cit.

3. Lilia Moritz Schwarcz, *Sobre o autoritarismo brasileiro*. São Paulo: Companhia das Letras, 2019.

4. Fernando Haddad, *O terceiro excluído*, op. cit.

5. Rogério Pagnan, "Letalidade policial desaba 85% em batalhões de SP com câmeras em uniformes". *Folha de S.Paulo*, 27 jan. 2022. Disponível em: <https://www1.folha.uol.com.br/cotidiano/2022/01/letalidade-policial-desaba-85-em-batalhoes-de-sp-com-cameras-em-uniformes.shtml>; Suat Cubukcu et al., "The Concrete Effects of Body Cameras on Police Accountability". The Conversation, 16 nov. 2021. Disponível em:

<theconversation.com/the-concrete-effects-of-body-cameras-on-police--accountability-171460>.

6. "Rwanda: Macron Admits French Responsibility in Genocide". Deutsche Welle, 27 maio 2021. Disponível em: <dw.com/en/rwanda-macron--admits-french-responsibility-in-genocide/a-57680013>.

7. Jessie Yeung, Nectar Gan e Steve George, "From 'Air-Pocalypse' to Blue Skies: Beijing's Fight for Cleaner Air Is a Rare Victory for Public Dissent". CNN, 23 ago. 2021. Disponível em: <edition.cnn.com/2021/08/23/china/china-air-pollution-mic-intl-hnk/index.html>.

8. Jesse Eisinger, Jeff Ernsthausen e Paul Kiel, "The Secret IRS Files: Trove of Never-Before-Seen Records Reveal How the Wealthiest Avoid Income Tax". ProPublica, 2 jun. 2021. Disponível em: <propublica.org/article/the-secret-irs-files-trove-of-never-before-seen-records-reveal-how-the--wealthiest-avoid-income-tax>; Cyrus Frivar, "Richest Americans Pay Almost No Income Taxes, Report Finds". NBC News, 8 jun. 2021. Disponível em: <nbcnews.com/business/taxes/richest-americans-pay-almost--no-income-taxes-report-finds-n1270069>.

9. Thomas Piketty, *O capital no século XXI*. Rio de Janeiro: Intrínseca, 2014.

9. APRENDER A APRENDER [pp. 137-60]

1. S. N. Kramer, "Schooldays: A Sumerian Composition Relating to the Education of a Scribe". *Journal of the American Oriental Society*, Nova York, v. 69, n. 4, pp. 199-215, 1949; Å. Sjöberg, "The Old Babylonian Eduba". In: S. J. Liebermann (Org.), *Sumerological Studies in Honor of Thorkild Jacobsen on His Seventieth Birthday, June 7, 1974*. Chicago: The Oriental Institute, 1976, pp. 159-61.

2. OECD, *Education at a Glance: OECD Indicators*. Paris: OECD Publishing, 2014; A. Still, P. Dolton e O. Marcenaro-Guiterrez, *The Efficiency Index: Which Education Systems Deliver the Best Value for Money?*. Londres: GEMS Education Solutions, 2014.

3. M. Sigman, M. Peña, A P. Goldin e S. Ribeiro, "Neuroscience and Education: Prime Time to Build the Bridge". *Nature Neuroscience*, Londres, v. 17, n. 4, pp. 497-502, abr. 2014; S. Ribeiro et al., "Ideas for a School of the Future". In: V. H. Albuquerque, A. Athanasiou e S. Ribeiro (Orgs.),

Neurotechnology: Methods, Advances and Applications. Hamilton: IET Digital Library, 2020, pp. 247-79.

4. M. V. Lourenço et al., "Exercise-Linked FNDC5/Irisin Rescues Synaptic Plasticity and memory Defects in Alzheimer's Models". *Nature Medicine*, Londres, v. 25, n. 1, pp. 165-75, jan. 2019; M. W. Voss et al., "Exercise and Hippocampal Memory Systems". *Trends in Cognitive Science*, v. 23, n. 4, pp. 318-33, abr. 2019.

5. Luan Gomide de Sousa Candido, "Um salve à cultura da infância e aos cuidados contra a pandemia". Agência de Notícias das Favelas, 24 maio 2021. Disponível em: <anf.org.br/um-salve-a-cultura-da-infancia-e-aos-cuidados-contra-a-pandemia>; ACESA, "Escola no quintal". Facebook, 25 jun. 2021. Disponível em: <facebook.com/acesaeusouangoleiro/posts/2979869728948347>; "Escola no Quintal". Vakinha, ago. 2021. Disponível em: <vakinha.com.br/vaquinha/escola-no-quintal>.

6. Flávio dos Santos Gomes, Jaime Lauriano e Lilia Moritz Schwarcz, *Enciclopédia negra*, op. cit., pp. 108-10.

7. Ibid., pp. 352-4.

8. Ibid., pp. 331-4.

9. Lilia Moritz Schwarcz, *Lima Barreto: triste visionário*. São Paulo: Companhia das Letras, 2017.

10. L. T. Gettler et al., "Prolactin, Fatherhood, and Reproductive Behavior in Human Males". *American Journal of Physical Anthropology*, Nova York, v. 148, n. 3, pp. 362-70, jul. 2012; P. B. Gray, T. S. McHale e J. M. Carré, "A Review of Human Male Field Studies of Hormones and Behavioral Reproductive Effort". *Hormones and Behavior*, Atlanta, v. 91, pp. 52-67, maio 2017; K. Uvnäs Moberg et al., "Maternal Plasma Levels of Oxytocin during Breastfeeding-A Systematic Review". *PLoS One*, San Francisco, v. 15, n. 8, 2020.

11. Sérgio Guerra, *Hereros: Angola*. Salvador: Maianga, 2009.

12. "Malawian Wedding". YouTube, 1 dez. 2018. Disponível em: <youtube.com/watch?v=kVZhgTC0LEE>.

13. BBC News Brasil, "O haka-surpresa em casamento que emocionou noiva e milhões pelo mundo". YouTube, 22 jan. 2016. Disponível em: <youtube.com/watch?v=eIkqn7LBrmc>.

14. "Adi&Oren Wedding Trans Clip". YouTube, 4 fev. 2019. Disponível em: <youtube.com/watch?v=jjXRgwut_IE>.

15. Diamond Way Buddhism, "Shamar Rinpoche's Cremation". YouTube, 11 ago. 2014. Disponível em: <youtube.com/watch?v=m44tpGxvVAo>.

16. Carl G. Jung, *Os arquétipos e o inconsciente coletivo*. Petrópolis: Vozes, 2018. v: 9/1. (Obra completa).
17. bell hooks, *Tudo sobre o amor: Novas perspectivas*. São Paulo: Elefante, 2021.
18. Clenora Hudson-Weems, *Mulherismo africana: Recuperando a nós mesmos*. São Paulo: Ananse, 2021.
19. Bianca Santana, "Sueli Carneiro: Sobrevivente, testemunha e porta-voz". *Cult*, 9 maio 2017. Disponível em: <revistacult.uol.com.br/home/sueli-carneiro-sobrevivente-testemunha-e-porta-voz/>.
20. "#ElasQueLutam: Alessandra Munduruku, a força feminina contra a destruição do território!". Instituto Socioambiental, 22 mar. 2021. Disponível em: <socioambiental.org/pt-br/noticias-socioambientais/elasquelutam-alessandra-munduruku-a-forca-feminina-contra-a-destruicao-do-territorio>.
21. Jorge Drexler, "Movimiento (Videoclip oficial)". YouTube, 9 nov. 2017. Disponível em: <youtube.com/watch?v=lIGRyRf7nH4>.
22. G. Senft, "Weird Papalagi and a Fake Samoan Chief: A Footnote to the Noble Savage Myth". *Rongorongo Studies*, Auckland, v. 9, n. 1-2, pp. 23-32, 62-75, 1999.

10. SAIR DO LABIRINTO [pp. 161-76]

1. Carolina Maria de Jesus, *Quarto de despejo*. 10. ed. São Paulo: Ática, 2019, p. 7.
2. Christina Goldbaum, "No Work, No Food: Pandemic Deepens Global Hunger". *New York Times*, Nova York, 6 ago. 2021. Disponível em: <nytimes.com/2021/08/06/world/africa/covid-19-global-hunger.html>.
3. FAO, "Global Symposium on Soil Erosion: Key Messages". FAO, 2019. Disponível em: <fao.org/about/meetings/soil-erosion-symposium/key-messages/en/>; Daniela Chiaretti, "Brasil perde 15% da superfície de água em 30 anos". *Valor Econômico*, 22 ago. 2021. Disponível em: <valor.globo.com/brasil/noticia/2021/08/22/brasil-perde-15percent-da-superficie-de-agua-em-30-anos.ghtml>.
4. "World Hunger Clock". World Dat Lab. Disponível em: <https://worldhunger.io/?campaignid=11650289004&adgroupid=114814811215&adid=484285168727&gclid=CjwKCAjwgviIBhBkEiwA10D2j>.
5. R. S. Gibson, V. Raboy e J. C. King, "Implications Of Phytate In Plant-

-Based Foods For Iron And Zinc Bioavailability, Setting Dietary Requirements, and Formulating Programs and Policies". *Nutrition Reviews*, Oxford, v. 76, n. 11, pp. 793-804, nov. 2018; W. Petroski e D. M. Minich, "Is There Such a Thing as 'Anti-Nutrients'? A Narrative Review of Perceived Problematic Plant Compounds". *Nutrients*, Basileia, v. 12, n. 10, p. 2929, set. 2020.

6. L. Elizabeth et al., "Ultra-Processed Foods and Health Outcomes: A Narrative Review". *Nutrients*, Basileia, v. 12, n. 7, p. 1955, jun. 2020; R. D. Mendonça et al., "Ultra-Processed Food Consumption and the Incidence of Hypertension in a Mediterranean Cohort: The Seguimiento Universidad de Navarra Project". *American Journal of Hypertension*, Oxford, v. 30, n. 4, pp. 358-66, abr. 2017; C. Gómez-Donoso et al., "Ultra-processed Food Consumption and the Incidence of Depression in a Mediterranean Cohort: the SUN Project". *European Journal of Nutrition*, Darmstadt, v. 59, n. 3, pp. 1093-103, abr. 2020.

7. "Going Public: Iceland's Journey to a Shorter Working Week", 4 jul. 2021. Disponível em: <autonomy.work/portfolio/icelandsww/>; "Four-Day Week 'an Overwhelming Success' in Iceland", 6 jul. 2021. Disponível em: <bbc.com/news/business-57724779>.

8. "Amsterdam City Doughnut". Doughnut Economics Action Lab, 2020. Disponível em: <https://doughnuteconomics.org/stories/1>.

9. Kate Raworth, *Economia donut: Uma alternativa ao crescimento a qualquer custo*. Rio de Janeiro: Zahar, 2019.

10. J. Rockström, "A Safe Operating Space for Humanity". *Nature*, Londres, v. 461, pp. 472-5, 2009.

11. Kate Raworth, "What on Earth is the Doughnut?...", 2017. Disponível em: <kateraworth.com/doughnut/>.

12. Karl Marx, *Crítica do Programa de Gotha*. São Paulo: Boitempo, 2012.

13. M. Daou et al., "Abnormal Sleep, Circadian Rhythm Disruption, and Delirium in the ICU: Are They Related?". *Frontiers in Neurology*, Lausanne, v. 11, n. 549908, set. 2018; C. J. Madrid-Navarro et al., "Disruption of Circadian Rhythms and Delirium, Sleep Impairment and Sepsis in Critically Ill Patients: Potential Therapeutic Implications for Increased Light-Dark Contrast and Melatonin Therapy in an ICU Environment". *Current Pharmaceutical Design*, Schiphol, v. 21, n. 24, pp. 3453-68, 2015; M. P. Knauert, J. A. Haspel e M. A. Pisani, "Sleep Loss and Circadian Rhythm Disruption in the Intensive Care Unit". *Clinics in Chest Medicine*, Amsterdam, v. 36, n. 3, pp. 419-29, set. 2015.

14. M. K. A. Ribeiro et al., "Music Therapy Intervention in Cardiac Autonomic Modulation, Anxiety, and Depression in Mothers of Preterms: Randomized Controlled Trial". *BMC Psychology*, Londres, v. 6, n. 1, p. 57, dez. 2018.
15. E. C. Martiniano et al., "Musical Auditory Stimulus Acutely Influences Heart Rate Dynamic Responses to Medication in Subjects with Well--Controlled Hypertension". *Scientific Reports*, Londres, v. 8, n. 1, p. 958, jan. 2018.
16. J. Veríssimo et al., "Evidence that Ageing Yields Improvements as Well as Declines across Attention and Executive Functions". *Nature Human Behaviour*, Londres, 19 ago. 2021.
17. Ailton Krenak, *Roda Viva*, 19 abr. 2021. Disponível em: <youtube.com/watch?v=BtpbCuPKTq4&t=1901s>.

1ª EDIÇÃO [2022] 5 reimpressões

ESTA OBRA FOI COMPOSTA PELA SPRESS EM ELECTRA E IMPRESSA EM OFSETE PELA GRÁFICA BARTIRA SOBRE PAPEL PÓLEN DA SUZANO S.A. PARA A EDITORA SCHWARCZ EM JUNHO DE 2024

A marca FSC® é a garantia de que a madeira utilizada na fabricação do papel deste livro provém de florestas que foram gerenciadas de maneira ambientalmente correta, socialmente justa e economicamente viável, além de outras fontes de origem controlada.